Moritz Oppenheim
The First Jewish Painter

The exhibition and catalogue are sponsored by the Edmond de Rothschild Foundation.

Front cover: *Self-Portrait* (No. I.2)
Back cover: *Sabbath Afternoon* (No. III.16)

Exhibition Curator: Elisheva Cohen

Assistant Curators: Amalyah Zipkin and Daphna Lapidot
Catalogue design: Efrat Carmon
English editing: Barbara Gingold, Judy Levy
Typesetting: Tsameret Wachenhauser
Photographs: Nahum Slapak, Mariana Salzberger, The
Israel Museum; David Harris, Jerusalem; Eric Pollitzer,
New York; and lending museums

Colour photographs: Nahum Slapak, The Israel
Museum; David Harris, Jerusalem; Marvin
Rand, Los Angeles
Plates: Tafsar Ltd., Jerusalem
Colour separations: Scanli Ltd., Tel Aviv
Printed by Ben-Zvi Printing Enterprises Ltd.,
Jerusalem
Exhibition design: Talma Levin
Catalogue No. 238
IBSN: 965 278 014 6
© The Israel Museum, Jerusalem, 1983
Autumn, 1983

III.10

Foreword and Acknowledgements

Until the age of emancipation, the artistic achievements of Jews were manifested primarily in the embellishment of ritual objects and the illumination of Hebrew manuscripts. Only from the beginning of the nineteenth century, when the physical and spiritual limitations of the ghetto were removed, were the Jews able to seek artistic expression in all branches of the arts. The first to take advantage of these new opportunities without abandoning his faith was Moritz Oppenheim. No retrospective of the works of Moritz Oppenheim has been held since the year 1900, when the Kunstverein in Frankfurt-on-Main — the city where Oppenheim spent his adult life — celebrated the centenary of the artist's birth with a major exhibition. The Israel Museum, repository of a large part of Oppenheim's estate, considers it a duty of honour to rectify this situation of long neglect. In the present exhibition, which includes works from all periods of the artist's life, an attempt is made to show Moritz Oppenheim not exclusively as a painter of Jewish subjects — for this has been the popular view of him as an artist — but to show his achievements in other fields as well. Thus the entire range of his work is shown, and some aspects of his unusual personality are revealed in a choice of documents.

We are indebted to Mrs. Elisheva Cohen, whose long-standing interest in Oppenheim and previous publications on the artist made her the ideal person to organize the exhibition and compile the catalogue. We also wish to thank Professor Ismar Schorsch for making his article on Oppenheim available for publication in this catalogue. Dr. Yerachmiel (Richard) Cohen kindly abbreviated and translated it for the Hebrew version.

It is eminently fitting that this exhibition and its catalogue should have been made possible by the Edmond de Rothschild Foundation. Baron Edmond de Rothschild is a descendant of the same prominent family of bankers in Frankfurt who were Oppenheim's patrons throughout his career. We are deeply grateful for Baron de Rothschild's enthusiastic support of this project from the moment he heard of it.

While the Israel Museum's collection contains many of Oppenheim's drawings, most of the paintings in the exhibition come from museums and private collections in various countries, and we wish to express our thanks to all these for enabling us to assemble the exhibition:

Berkeley, California, Judah L. Magnes Memorial Museum
Cologne, Wallraf-Richartz-Museum
Copenhagen, The Thorvaldsen Museum
Düsseldorf, Kunstmuseum
Frankfurt-on-Main, Historisches Museum
Greenwich, Connecticut, Mr. Daniel Friedenberg
Hamburg, Hamburger Kunsthalle
Hanau, Museum der Stadt Hanau
Jerusalem, Mrs. Martha Bamberger
Jerusalem, The Jewish National and University Library
London, The National Portrait Gallery
Los Angeles, Hebrew Union College, Skirball Museum
Lugano, Mr. Edgar F. Rebner
New York, Collection Oscar Gruss
New York, The Jewish Museum.

Oppenheim's youthful self-portrait, which appears on the cover of this catalogue, was recently presented as a gift to the Israel Museum by Dr. Arthur Kauffmann, London. The painting, whose whereabouts were previously unknown, is a particularly fortunate addition to the exhibition and to the Museum's collection.

Thanks are also due to Dr. Dietrich Andernacht of the Municipal Archives of Frankfurt-on-Main for bringing to our attention the Oppenheim material held there.

Martin Weyl
Director

Contents

4   **Foreword and Acknowledgements**
    Martin Weyl

7   **Moritz Daniel Oppenheim: His Life and Art**
    Elisheva Cohen

31 **Art as Social History: Oppenheim and the
    German Jewish Vision of Emancipation**
    Ismar Schorsch

63 **Biographical Dates**

65 **Correspondence of Oppenheim and Riesser**

78 **Catalogue**

Note: The letter E preceding a page number indicates that the illustration is in the English
section of the catalogue; the letter ע indicates that the illustration is in the Hebrew section.

III.6

Moritz Daniel Oppenheim: His Life and Art

Twenty-five years ago, in 1958, the Bezalel National Museum, Jerusalem, today part of the Israel Museum, received an important legacy consisting of sketches, drawings, prints and photographs, as well as letters and documents from the estate of the painter Moritz Daniel Oppenheim.[1] Scattered items from this collection have been shown on various occasions but a comprehensive exhibition of Moritz Oppenheim's work has long been overdue. Now, more than a hundred years after his death, it seems that the hour has come for a renewed assessment of the painter and his work in the context of his time.

Oppenheim's life and work reflect the emergence of German Jewry from ghetto existence into the modern world. His position as an artist and a Jew, the special problems he faced, his relationship with the world around him, all shed light on a chapter in Jewish history which is characterized by the struggle for emancipation.

Moritz Oppenheim is known primarily for the series of paintings in which he depicted traditional Jewish family life. It was on account of these, the fruit of his mature years, that he was praised as the first Jewish painter. Over the years this image has overshadowed the fact that Oppenheim had already produced an extensive oeuvre before turning his foremost, although never exclusive, interest to the Jewish subjects which became the source of his widespread popularity in Jewish circles.

As a young man Oppenheim received the traditional academic training of a professional painter. Such a career had hardly been open to a Jew previously unless he was prepared to convert to Christianity. In withstanding the pressures of friends to change his religion and his insistence on following his own way, Oppenheim was doubtlessly an exception in his generation. In this sense he deserves the distinction of being called the first Jewish painter.

Moritz Oppenheim's life spanned most of the 19th century. He was born in January 1800 and died in 1882, working almost until the last days of his life.[2] A few facts and many anecdotes of his life story are known to us. As a man of eighty he wrote his memoirs for the sake of his children and grandchildren. The manuscript of these *Reminiscences* was published by his grandson Alfred Oppenheim, who was a painter himself, as late as 1924.[3] The little book deals primarily with Oppenheim's adventures as a young man and charmingly illustrates the new phenomenon of an emancipated Jewish artist. Other sources are provided by letters to family members and friends, which reveal a warm and compassionate personality with an amiable sense of humour. Correspondence with art dealers and museums indicates that Oppenheim was a scrupulous and shrewd businessman, while certificates of honour prove that he enjoyed the respect of his community. Despite all this, documents preserved in the Frankfurt Municipal Archives demonstrate that as a Jew he had considerable difficulties in obtaining the citizenship of the Free City of Frankfurt, where he spent most of his life. These are the written sources.

The paintings speak for themselves, although they are not numerous. One must assume that much of Oppenheim's work was lost during the Holocaust which destroyed so many Jewish homes and communities. Oppenheim was a tremendously industrious worker, a point which he himself stressed repeatedly, and which is confirmed by the large number of his preparatory sketches which still exist. During his long and active life Oppenheim must have produced hundreds, if not thousands of oil paintings, watercolours, drawings and prints. The general reassessment of nineteenth-century art which has taken place in recent years has brought to light many a forgotten artist; perhaps it will also help to rediscover some of Moritz Oppenheim's works, which at this point seem to have disappeared.

Moritz Oppenheim was born in the ghetto of Hanau, a small town near Frankfurt, where he went to *Heder* and the Talmud Torah school. When the ghetto was abolished in 1811 as a result of the liberalization brought about by the French occupation of wide areas of Germany during Napoleon's reign, Oppenheim was able to attend the municipal grammar school and, of more lasting consequence, the local drawing academy. Its head, Professor Konrad Westermayer, encouraged the boy and eventually even made him his assistant. A letter of recommendation from the Academy, dated 27 August 1820, and the fact that this institute acquired a painting by its twenty-year-old graduate are indications that Oppenheim's achievements were appreciated by his teachers.

II.1 (p. ᵞ10)

After attending the art school of the recently-established Städel Art Institute in Frankfurt for a short period, Moritz Oppenheim left with the blessings of his family to continue his studies in Munich. One must emphasize the liberal attitude of his parents who, although themselves deeply rooted in Jewish tradition, put no obstacle in his way. This was probably due to the influence of his older brother Simon, who had already left home and encouraged his young brother's unusual inclinations.

In Munich Oppenheim entered the Academy, which was headed by Peter Langer and his son Robert. The results were poor. Although he worked hard, he was not satisfied with his studies and soon left the Academy without regret. More significant than the formal training he acquired in Munich was Oppenheim's encounter with the still-new technique of lithography. Invented in the same city some twenty-odd years before by Alois Sennefelder for purely commercial purposes, artists were just discovering the potential of lithography. Oppenheim familiarized himself with the process, using it for portrait commissions and eventually as a means to reproduce paintings.

The next step led him to Paris and into the studio of Jean Baptiste Regnault. In his memoirs he somewhat ridiculed the master's pedantic way of teaching. Again dissatisfied with the results of his studies, Oppenheim cut short his stay in Paris and set out for Rome. At that time the world capital of the arts, Rome was the ultimate destination for all young artists. Oppenheim was to stay there for four years, a crucial period in terms of his future. The wealth of impressions was overwhelming. He tried to learn from the old masters by copying them industriously. But the most influential factor was his close contact with his own contemporaries, a group of German artists who worked in Rome during the first decades of the 19th century. They were known as the "Nazarenes", which indicated their debt to Christian art though it was probably their appearance, the long hair parted in the middle reminiscent of traditional representations of Jesus, which originally gave rise to the nickname. Rejecting the splendour of High Renaissance and Baroque art, the Nazarenes strove to revive the spirit of humility and devotion which they found in German medieval art and the Italian quattrocento. Looking back as an old man, Oppenheim wrote rather disparagingly about his former friends: "They despised proper looks, dressed carelessly and did not comb their hair... At home they painted stiff, uncouth, hard and wooden pictures of saints, even badly drawn. With these they believed to show sentiment and achieve a renaissance of the art. These fellows were the so-called Nazarenes."[4] In spite of this late criticism, the young Oppenheim was strongly influenced by the Nazarenes' style of painting. The sharply outlined figures, a rather stiff linearity and strong local colours, all part of the Nazarene doctrine, are characteristic of Oppenheim's drawings and paintings of the twenties. He also shared the Nazarenes' predilection for biblical subjects. *The Dismissal of Hagar* and *Susanna and the Elders,* the latter known today only through a lithograph after the lost painting, are typical of this period in Oppenheim's life. Like the Nazarenes, Oppenheim was also at his best in portrait paintings. The group portrait of *The Brothers Jung and their*

II.9 (p. ᵞ3)
II.10 (p. E9)

I.9 (p. ᵞ7)

II.8

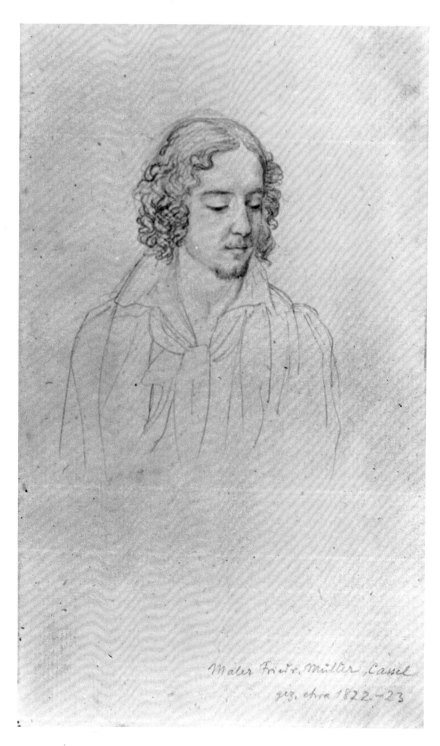

Maler Fridr. Müller, Cassel
gez. circa 1822–23

I.3

7.

I.5

I.13

Educator, painted shortly after his return from Rome, is formed by the same spirit as Johann Anton Ramboux' *The Brothers Eberhard,* one of the masterpieces of Nazarene portrait painting.[5]

Despite occasional misunderstandings, Oppenheim established close relations with many of the German artists, some of whom remained his friends in later years. Among them was Philipp Veit, the son of Dorothea Schlegel and grandson of Moses Mendelssohn who, together with his mother, had converted to Catholicism. The two artists met frequently after Philipp Veit became the director of the Städel Art Institute and lived in Frankfurt between 1830–1843. Friedrich Müller, whose portrait Oppenheim had sketched in Rome, became the director of the Cassel Art Academy and also remained a friend. The continued contact with Wilhelm Hensel, a well-known Berlin painter who had married Fanny Mendelssohn-Bartholdy, Felix Mendelssohn's sister, is proven by Fanny's portrait, painted by Oppenheim in 1842. But Oppenheim derived the greatest satisfaction from his relationship with the much-respected Danish sculptor Bertel Thorvaldsen, in whom he found a patron. Many of his friends, whose names are hardly remembered today — Emil Wolff, Christian Lotsch, Schmidt von der Launitz (whose studio in Frankfurt he painted many years later) — belonged to Thorvaldsen's circle, either as students or assistants.[6]

I.3 (p. E 12)

I.18 (p. E16)

Next to Thorvaldsen, Oppenheim most greatly admired Friedrich Overbeck, the revered leader of the Nazarenes. His respect for both artists and his lasting appreciation of their work is evident from a letter written ten years after he left Rome. In this letter Oppenheim asks another painter friend, Johann David Passavant, to buy him drawings by Thorvaldsen and Overbeck, regardless of the expense.[7] The letter is addressed to J.D. Passavant "nel Café Greco", the one place where the sender could be sure that his message would reach its addressee. The Café Greco on Via Condotti, still there today, was the meeting place of the German artists. Its nineteenth century guestbook includes many signatures of artists who belonged to Oppenheim's circle of friends. The Greek owner of the place, to whom it owed its name, was the first to allow public smoking on his premises. This was probably the reason for his popularity with the pipe-smoking German artists.

Most of Oppenheim's friends were loyal to him. Once Hensel even prevented a duel between him and another painter who had made anti-Semitic remarks.[8] But there were also bitter disappointments when he was rudely repulsed because of his Jewishness. His ambiguous situation became even more bewildering when Oppenheim met with the Roman Jews who were still confined to the ghetto, and who suffered constant harassment by Jesuits who spared no means to achieve the conversion of the Jews. Pressures became even worse after Leo XII became Pope in September 1823. Wretched conditions and the ever-prevalent menace weighted heavily on the inhabitants of the ghetto. Nevertheless, when he learned of the death of his mother, Oppenheim took refuge there to spend the days of mourning among Jews.[9]

V.3 (p. y59)

Oppenheim's contacts with his co-religionists were, however, not limited to the residents of the ghetto. On a visit to Naples he was received by Baron Carl Mayer von Rothschild in his mansion on Capo di Monte. The Baron was head of the newly-established branch of the House of Rothschild and financial adviser to the royal family. This was Oppenheim's first meeting with a member of the Rothschild family, whose patronage eventually became a major factor in his life. It was an encouraging prelude: the Baron bought three paintings and commissioned a fourth, the above-mentioned *Susanna and the Elders.*

II.10 (p. E9)

More commissions were received through Prussian diplomats living in Rome, such as the Prussian Ambassador, Counsellor of State Niebuhr and Count Ingenheim, half-brother of the Elec-

I.18

1840.

I.16

tress of Hesse, who held open houses where they liked to receive German artists. It was primarily Thorvaldsen's interest in the young artist which opened the doors of the aristocratic houses to Oppenheim.

The *Reminiscences,* written in retrospect after a long life, still reflect the artist's satisfaction with his Roman sojourn. He felt that he had made progress professionally, and he was equally pleased with his social success. In fact, he had laid the foundations for those wide-ranging connections which later proved to be very useful. They not only brought commissions but provided a basis for the profitable dealings in art objects which Oppenheim carried on throughout his life. There was nothing unusual in this practice, which was anchored in a time-honoured tradition. Had not Dürer, Rembrandt, Rubens and many others regularly sold works of art in addition to their own? Letters preserved in Oppenheim's estate, written in three languages, show the extent of his activity as an art dealer. While he probably started out as an agent for his patrons the Rothschilds, it seems that art dealing eventually became a sort of second career. The connoisseurship which he had acquired in Italy stood him in good stead.

Oppenheim returned to Germany in the spring of 1825. His itinerary is described in detail in one of his sketchbooks, which he also used as a diary.[10] He travelled in slow stages, stopping frequently in order to see interesting sites and visit friends. With his arrival in Frankfurt he reached his final destination.

IV.2

Simon Oppenheim, the older brother who had always considered young Moritz his special charge, had settled in Frankfurt as early as 1812.[11] By the time Moritz arrived, a second brother, Hirsch, was also living there. The presence of his family was probably one of the reasons that Moritz Oppenheim wanted to make his home in Frankfurt. Another was certainly the fact that it was a wealthy city where an artist could count on making a living. In 1828, Oppenheim married his childhood friend Adelheid Cleve from Hanau. She died eight years later, leaving three small children. In 1839 he married for the second time. Fanny Goldschmidt, whose marriage agreement with Oppenheim is preserved, was from Frankfurt. There were three more children from this second marriage.[12] According to Oppenheim's own testimony, he had no difficulties in settling down. Commissions came in from Jews as well as non-Jews; his portraits in particular were much in demand. However, records in the Municipal Archives show a different and less gratifying aspect of his life. It was not easy for a Jew who was not born in Frankfurt to get permisssion to live there; to become a citizen of the Free City was even more difficult. It took Oppenheim nearly twenty-five years to achieve this goal. Ten petitions for the extension of his permit of residence, submitted between the years 1825–1839, testify to the struggle. In 1847, his request for citizenship was rejected, but a renewed application two years later, after the 1848 revolution, was finally successful. In 1851 Oppenheim was permitted to take the citizen's oath, which put an end to the drawn-out process.[13] Oppenheim seems to have taken this matter in his stride; in any case no complaint is recorded.

V.13

Despite his good connections, Oppenheim's success would never have been the same without the patronage of the Rothschilds. Baron Carl Mayer from Naples, with whom he had his first contact, returned eventually with his family to Frankfurt. New and particularly close connections were established with the house of Anselm von Rothschild, whose wife Charlotte became Oppenheim's pupil and remained his faithful friend until her death in 1859.[14] Over the years Oppenheim became a veritable factotum of the entire family. Not only did he paint the portraits of three generations of Rothschilds, he also discovered and acquired works of art for them, decorated their houses and advised them in all matters of art. He also depicted, like an official "court painter", important events of the family history such as *Mayer Amschel Rothschild and*

I.20

I.19

the Elector of Hesse and *The five Brothers Rothschild return to the Elector the Property which he had given to their Father for Safekeeping.*

One of Anselm's and Charlotte's sons, Ferdinand von Rothschild, himself an outstanding collector and the builder of Waddesdon Manor, testified to Oppenheim's activities on behalf of his father in his unpublished memoirs, written in 1897: "But my happiness was greatest when Professor Oppenheim was announced. He was a painter of no special merit but he was a friend of the family, and all we children had to sit for our portraits... I really forgave him the severe trials of patience to which he subjected me, because he was one of my father's chief surveyors of works of art... His work took Professor Oppenheim into many private houses where he occasionally discovered and picked up a fine old German cup which he then brought to my father. I cannot describe the joy I felt when he unpacked some quaint Nuremberg or Augsburg tankard which was weighed and bought by the weight."[15] Baron Ferdinand underestimated Oppenheim's versatility when he assumed that he found those beautiful objects only at occasional visits in private houses. Letters and notes prove that Openheim carried on brisk business with dealers and collectors throughout Europe, as well as with museums with which he also arranged exchanges.

One of Oppenheim's most important commissions occurred in the thirties when he was asked to paint the portraits of the five Rothschild brothers. The originals, which were in the Carl von Rothschild Public Library in Frankfurt prior to World War II, have apparently disappeared. The same goes for the portrait of their mother, Gudula von Rothschild, which was dated 1849, the year she died.[16] A drawing depicting the old lady, who was then over ninety, possibly done in preparation for the lost painting, is included in this exhibition. The two male members of the family whose portraits are shown here belong to the younger generation. Since there is good reason to believe that Oppenheim had to repeat many of these likenesses for the sake of family members, as he did with other portraits, some of those might still be hidden in cellars and attics of Rothschild homes. I.19 (p. E22)

I.20, I.14 (pp. E20, 21)

After his return to Frankfurt, Oppenheim devoted himself largely to portrait painting, a field in which he developed considerable skill. His portraits are sober and deftly painted. Contemporaries have confirmed that he had a gift for catching a likeness.[17] Material considerations may have played their part: the steady income provided by portrait painting in an era preceding photography must have been welcome to the father of a growing family. After years of youthful struggles, a new aura of respectability pervaded Oppenheim's life. The effects did not fail to show up in his work. The romanticism of the Nazarenes which had impressed him in Rome was replaced by a homey realism characteristic of the Biedermeier period. Adaptability seems to have been one of Oppenheim's character traits. There is no doubt that the new style, so appealing to bourgeois taste, not only reflected the changed circumstances of a successful artist who now enjoyed the patronage of wealthy citizens, but also suited Oppenheim's cheerful temperament, which was frequently praised by his friends. Throughout his life Oppenheim, who had never been much attracted by landscape, continued to paint portraits and genre scenes without any noticeable change of style, unmoved by the new trends in art which he must have witnessed.

The first typical genre picture, and at the same time the first Jewish subject, appeared in 1833/34. The painting carries the somewhat bombastic title *Return of a Jewish Volunteer from the Wars of Liberation to His Family Still Living According to the Old Tradition* and has been considered an early precursor of the series, "Jewish Family Life", which Oppenheim started much later in his career. It seems, however, that the artist's intentions in painting the wounded soldier surrounded by his adoring family were different from those which later generated the III.9 (p. y24)

III.2

III.4

III.7

depictions of Jewish customs and holidays with their rather old-fashioned charm. The "Wars of Liberation" in which Jewish volunteers had taken part, been wounded and killed, in fact eventually deprived the Jews of the privileges which they had enjoyed for a few short years. At the Congress of Vienna of 1815, which marked the end of the war, civil rights which had been granted previously to the Frankfurt Jewish community were withdrawn, and the old reactionary policy was re-established. Oppenheim probably wanted this picture to be a reminder of the Jewish contribution to the war, of a debt which had not been honoured. The fact that the Jews of the Grand-Duchy of Baden chose this particular painting as a gift for Gabriel Riesser, the eloquent defender of Jewish civil rights, indicates that Oppenheim's message was understood by his fellow Jews.

Gabriel Riesser, Oppenheim's closest friend, appreciated the gift.[18] The intimate friendship between the two men is attested to in a number of letters which, as part of the Oppenheim estate, are published for the first time in the appendix of this catalogue. The letters also exemplify the detailed and florid style of correspondence which was cultivated in the nineteenth century. As a result of his friendship with Riesser, Oppenheim met with many personalities of the German Jewish reform movement and obtained commissions from them. The reformers enjoyed strong support in Frankfurt as well as Hamburg, the city where Riesser was born and where he lived permanently from 1840. There is, however, no indication that Oppenheim himself took an active interest in the movement.

Whether *The Return of the Volunteer* was meant as a veiled political statement or represents a first sign of Oppenheim's interest in Jewish affairs, it is an early example of his genre style. In the following decades Oppenheim painted many non-Jewish genre pieces, some of which are included in this exhibition. Occasional representations of quasi-historic events, such as the *Visit of Lessing and Lavater with Moses Mendelssohn* or *Felix Mendelssohn Playing before Goethe*, are treated as genre scenes.

III.5 (p. ע20)

The main effort of Oppenheim's last twenty years was devoted to the series "Jewish Family Life". Judging from his letters, religious practice seems to have become a more important factor in his life with advancing years. Growing assimilation and frequent conversions among a large part of German Jewry might have concerned him and stimulated him to undertake the task. Although executed over a number of years, the pictures are of homogeneous character. As the costumes indicate, events have been relegated to an earlier period. Life in the ghetto is represented but the age of emancipation has penetrated its walls. People's costumes and the furnishings of their houses are the same as their neighbours' outside the ghetto, and the picture of King Frederick the Great of Prussia, hanging on the wall, indicates respect for the secular authorities. The scenes emit an atmosphere of comfort and harmony. The obvious tendency to idealize the conditions reflects the nostalgic feelings which directed the ageing artist.

The large number of extant life studies bear witness to the extensive preparatory work Oppenheim did for the paintings. His own environment served him as a model, as shown by the old Frankfurt synagogue in the wedding picture and the ceremonial objects which are scattered throughout the scenes. He probably also made use of personalities from his surroundings. This is known to be the case in the *Blessing of the Rabbi*, which portrays Rabbi Moshe Tuvia Sontheim.[19] The boy in the picture probably portrays Oppenheim himself. The paintings were received with great interest; in fact, the public response was so favourable that it encouraged the Frankfurt publisher Heinrich Keller to undertake an edition of photographic reproductions. When the first results proved unsatisfactory because the photographic technique, still in its early stages, was not able to transmit colour values accurately enough, Oppenheim copied the pictures in different tones of grey (grisaille) to facilitate the photographer's task. The final

III.10 (p. E3)

(p. E53)

product, a large volume containing twenty plates with introductions by Rabbi Leopold Stein,
IV.12 appeared in 1882 and enjoyed world-wide acclaim in Jewish circles.[20] In addition, Oppenheim is known to have produced a considerable number of replicas of the original paintings, sometimes with modifications, in order to meet public demands. How often he repeated one picture or another is virtually impossible to establish today. The painter's last work, completed shortly before his death, was a large replica of the *Wedding*. The quality of the pictures is uneven. Not only are the grisailles frequently inferior to the colour version, but even among them one finds differences of quality, probably due to the frequent repetition of the subjects. But there is no denying that the "Pictures of Traditional Jewish Family Life" brought Oppenheim fame in his lifetime.

Oppenheim's success encouraged others to follow in his footsteps, like the Frankfurt painter Hermann Junker whose depictions of Jewish scenes are close to those of his mentor. Oppenheim's reputation lasted beyond his death. In 1900 the "Kunstverein" (Art Association) of Frankfurt organized a large memorial exhibition in honour of the 100th anniversary of his birth. Among the 142 catalogue entrances, more than a third were portraits, which the experts considered his major achievement. To quote one of them: "In Frankfurt, M.D. Oppenheim surpassed the average to such an extent with his delicate and noble portraits that the fact that he has not been known at all so far can only be ascribed to their being held in private hands."[21]

In the framework of the famous "Exhibition of the Century" which Hugo von Tschudi, director of the National Gallery, Berlin, organized in 1906 under the name "German Art from 1775–1875", Oppenheim was represented with two portraits.[22] Not long after this huge display, the outbreak of World War I put an abrupt and violent end to the era which had seen the heyday of painters such as Oppenheim. German art of the nineteenth century, and with it the art of Moritz Oppenheim, fell into oblivion, to be resurrected only in recent years with the growing interest in this long-abused period.

Moritz Oppenheim may not have been one of its outstanding figures, but he deserves to be remembered. With his sympathetic portraits of well-known personalities and his faithful descriptions of the life and customs of his time, he earned his place as a gifted commentator who preserved much valuable information for posterity. Born at a decisive moment in the history of Jewish existence in Germany, Oppenheim stood between the ages of repression and emancipation. His honest attempts to amalgate the tradition of his people and its values with those of the society into which he was catapulted from the ghetto brought him personal success and honour. In his own way Moritz Oppenheim stands as a true and worthy representative of a significant period in German-Jewish history.

Elisheva Cohen

1 Bequest by the artist's grandson, Alfred Oppenheim, London, through the good offices of Mr. Arthur Kaufmann and the English Friends of the Israel Museums.

2 Oppenheim's actual birthdate cannot be established beyond a doubt. According to his *Reminiscences,* he was born at night after the fast of the 10th of Tebeth. In the year 1800, this date corresponds with the night of the 7th to 8th of January. However, official records in the Municipal Archives of Frankfurt give the 20th of January as his birthdate.

3 Moritz Oppenheim, *Erinnerungen* (Reminiscences), Frankfurter Verlagsanstalt A.G., Frankfurt am Main, 1924. Reprint: Verlag Darmstädter Blätter, Darmstadt, Neue Reihe Judaica, Vol. 13. Hebrew translation: Mossad Bialik, Jerusalem, 1950.

4 *Reminiscences,* p. 65.

5 Both paintings in the Wallraf-Richartz-Museum, Cologne

6 Atelier of the sculptor Schmidt von der Launitz, 1852, Städel Art Institute, Frankfurt am Main.

7 Letter by Oppenheim to Passavant, dated February 11, 1835, Municipal Archives, Frankfurt am Main.

8 *Reminiscences,* pp. 68–69.

9 *Reminiscences,* p. 41.

10 The Jewish Museum, New York, gift of Mr. Georges Seligman

11 S. Alexander Dietz, *Stammbuch der Frankfurter Juden,* Frankfurt am Main, 1907, p. 223, no. 436. Simon's protective attitude did not vanish over the years. In a letter to Veit & Co., Berlin, he wrote on July 10, 1843: "With this I permit myself to introduce to you my brother, Prof. Moritz Oppenheim... He intends to spend a few days in your beautiful city to visit his friends among whom he counts many artists. In case he turns to you in any matter or will be in need of money, you can give him on my account whatever he asks for. One cannot know, and artists have sometimes strange caprices."

12 See marriage agreement between Moritz Oppenheim and Fanny Goldschmidt, dated November 7, 1838.

13 Municipal Archives, Frankfurt am Main, File Sen. Suppl. 486/13. I am much indebted to Dr. Dietrich Andernacht for giving me access to material at the Archives.

14 A letter by L. Lambert, Brussels, to Baroness Charlotte de Rothshchild, dated August 7, 1857, shows that the Baroness endeavours, though unsuccessfully, to obtain a decoration of honour from the Belgian Government for her former teacher.

15 Mrs. James de Rothschild, *The Rothschilds of Waddesdon Manor,* Collins, London, 1975, p. 11.

16 The portrait of Gudula von Rothschild was formerly in the Rothschild Museum, Frankfurt. See *Katalog der Sammlungen des Rothschild Museums,* Mitteilungen der Gesellschaft zur Erforschung jüdischer Kunstdenkmäler, Notizblatt 28, 1931.

17 Letter by Heinrich Heine to Christian Schad, dated April 26, 1853. Schad was the publisher of the *Deutscher Musenalmanach.* "Of older portraits I know only a lithograph which was published in 1831 after a drawing by Oppenheim. Although it is hardly flattering it can nevertheless be praised because of its likeness. I recommend it."

18 Letter by Gabriel Riesser to Moritz Oppenheim, dated January 9, 1844.

19 Moshe Tuvia Sontheim served as rabbi in Hanau from 1796–1830.

20 English edition with introduction by Alfred Werner, *Pictures of Traditional Jewish Family Life,* New York, 1976.

21 Paul Ferdinand Schmidt, *Biedermeier Malerei,* Delphin Verlag, München, 1923, p. 69.

22 The portraits of Ludwig Börne and Bernhardine Friedeberg, a niece of the artist.

III. 14

Art As Social History:
Oppenheim and the German Jewish Vision of Emancipation

A

The instant and astounding commercial success of the well-known paintings of traditional Jewish family life by Moritz Oppenheim is a phenomenon of artistic diffusion that begs for historical attention. That it has been utterly ignored, despite the abiding interest in Oppenheim's art, illustrates just once more the disparity between knowing and understanding.[1]

The complete series of twenty grisailles, depicting in the main Jewish religious practice in the German ghetto just prior to emancipation, falls into four general categories: the life cycle (6), the Sabbath (5), the festivals (6), and life outside the ghetto (3). Prompted by the Frankfurt art publisher Heinrich Keller, Oppenheim published his first portfolio of six photographic reproductions along with an evocative explanatory text by Leopold Stein in 1866. Two years later the portfolio had grown to fourteen pictures and by 1874 to eighteen.[2] According to an 1876 advertisement, a set of eighteen pictures could be bought in any one of four different sizes ranging in price from 24 to 162 marks, with the folder extra.[3] With the inclusion of *Hanukkah* and *Shavuot* in 1881, the portfolio format reached its final complement of twenty paintings.[4] Adding special luster to the entire enterprise was publication in 1867 and 1868 by the widely read German family magazine *Die Gartenlaube* of three of Oppenheim's paintings (*Beginning of Sabbath, Passover,* and *Sukkot*) accompanied by a rather effusive text.[5]

IV.12

III.30 (p. ע31)

(pp. E35, ע28)

The first book version of the series, a handsome folio edition of twenty pictures and text, was printed by Keller in 1882, the year of Oppenheim's death, and sold for the substantial sum of 36 marks.[6] Four years later, Keller issued a second edition and yet a third edition in 1901. In 1913, a fourth German edition of much smaller size but with a new text by Emil Levy, also a rabbi, came out in Berlin under the imprint of Louis Lamm.[7] In sum, with a publication record of untold portfolio editions and at least four bound editions over a span of forty-eight years, Oppenheim's *Bilder aus dem altjüdischen Familienleben* may well have been the most popular Jewish book ever published in Germany.

If further proof of popularity (not to speak of influence on the subsequent explosion of Jewish genre painting) be needed, it should be noted that at the same time that the *Bilder* sold in book or portfolio, they were also mass marketed in the form of postcards and decorated pewter and porcelain plates.[8]

Such a record of enthusiasm for this first nineteenth-century effort to portray Judaism through the medium of art, locates Oppenheim's work squarely in the domain of social history. Its reception bespeaks a singular accord between artist and audience, providing the social historian with a rare opportunity to probe the state of Jewish consciousness in Germany in the half century before World War One. For what can one say with any degree of reliability about the values, beliefs, attitudes, and expectations of the inarticulate masses prior to the age of the scientific opinion poll? Historians are forever on the lookout for actions and artifacts, techniques and perspectives that might amplify their inaudible voice. This essay represents such an effort, based on the conviction that the Oppenheim phenomenon reveals a collective state of mind. It tells us something of the manner in which German Jewry conceived of emancipation, because it refracted a religious nostalgia fraught with political significance.

Through his art Oppenheim delivered a political message that caught the consensus of German Jewry.

That message is best deciphered by the historian of German Jewry and not the historian of Jewish art. The paintings resonate with issues and attitudes that derive directly from the problematic status of an emancipated Judaism within an unemancipated society, and to view them only from the perspective of art history is akin to playing a stereo record through a mono system. Yet more is available to the Jewish historian than even a full awareness of the range of conflicts created by the process of integration. The intent of the artist is further illuminated by at least three contemporary texts which give a semblance of voice to his art.

The first, of course, is the descriptive commentary by Stein which skillfully blends a reverence for the pathos of Jewish history with an appreciation of the virtues of Judaism. In both tone and substance, Stein's text perfectly complements Oppenheim's art. The degree of harmony is not fortuitous. Both men resided in Frankfurt and had worked on the same liturgical commission for the editing of a new prayerbook in the late 1850's. Like Oppenheim, Stein spent his youth in the isolation of pre-modern Judaism and was endowed with a creative spirit that, in his case, expressed itself in poetry and drama as well as theology. By 1862, Stein had resigned his rabbinic post of sixteen years in Frankfurt amid a cloud of controversy and was evidently both available and suitable to assist Oppenheim.[9] The fact that the commentary is already an integral part of the initial portfolio suggests that Stein may actually have served as Oppenheim's religious consultant throughout the project. In tandem, they produced no less than a beautifully designed primer on Judaism, intended for Christian as well as Jew. To quote Stein: "The Christian world does not know Judaism very well and makes little effort to get to know it. Accordingly, these pictures are also of such great value for learning about Judaism, for they reveal in such an appealing way its most intimate spiritual life."[10]

The second text is a tribute to Oppenheim written by Gabriel Riesser in 1854 that rests solidly on a friendship of at least two decades.[11] Riesser had emerged dramatically as the political spokesman for German Jewry by virtue of his principled and pugnacious defense of the right to emancipation uncompromised by any religious surrender. The two men were linked publicly first in 1835 when a group of Baden Jews expressed their gratitude to Riesser for having bravely defended their political interests by presenting him with Oppenheim's hand-some oil painting of a young Jewish soldier, who had volunteered for the War of Liberation, returning home on the Sabbath to his still observant family. What made the gift appropriate is that it epitomized Riesser's political ideology: loyalties to faith and fatherland were not in conflict.[12] More important for our purposes, it conveyed Oppenheim's own conviction. There is no evidence that it had been commissioned and Riesser testified in the essay that: "The idea of this painting is one of the most deeply felt by the artist, sprung from the very core of his spiritual being."[13]

III.9 (p. 924)

Given that degree of accord, the friendship deepened steadily. At the end of 1838, Oppenheim, a much sought after portraitist, did an oil painting of Riesser "out of pure friendship," bestowing it on his grateful family as a gift. The sitting took much longer than Riesser expected, because half-way through, the painstaking Oppenheim set aside his first try. But Riesser's patience was sustained by the character of his painter, whom he described in a letter as "a man with a first-rate mind, much experience and culture... with whom it is exceptionally pleasant to chat and who, while working diligently, is the one who pretty much keeps the conversation going."[14] Over the years the two men continued to remain in touch through correspondence (see pp. 66—77), that went far beyond a perfunctory exchange of greetings.[15]

Thus Riesser did not exaggerate when he wrote in his 1854 tribute that he and Oppenheim "had long been united in a most intimate friendship constantly strengthened by mutuality of purpose and sentiment."[16]

In that tribute Riesser celebrated his friend as a quintessentially Jewish artist in the same sense that one can speak of a Christian artist, that is one who places his art in the service of his faith. Unlike his contemporaries, Oppenheim had not spurned his roots to seek renown and wealth in the world of German culture. Rather, love and loyalty had moved him to commit his talent to dispelling the prejudice and ignorance which obscured the beauty of Judaism. A telling analogy drove home the point: "Just as Leah's son brings his forlorn mother the flowers he has chanced upon with which she might gain some affection, so does the faithful Jewish artist dedicate the flowers of his genius to his religion and its followers, that he might help thereby to conciliate the unwarranted antipathy and alienation and to advance the work of love and humanity."[17] Indeed, the full truth of Riesser's encomium was yet to be realized. By 1854, Oppenheim had done relatively little in the way of "Jewish art." It may just be that Riesser's citation contributed to inspiring fulfillment, for within two years Oppenheim had completed his famous depiction of Lavater's attempt to convert Mendelssohn with Lessing looking on, and by the early 1860's he was at work on a number of the oil originals of the later gouaches.[18] That the agenda of the 1860's reflected continuity of interest and not a new departure is unequivocally established by our third text, Oppenheim's own *Erinnerungen* composed in 1880, though not published until 1924 by his grandson Alfred Oppenheim. The literary quality of this charming memoir amply confirms Riesser's description of his friend and portraitist: its unpretentious author was a lively raconteur whose well crafted stories are marked by a compound of insight, irony, and compassion. Characteristically, Oppenheim made no effort to conceal the selectivity of his recall or the restricted audience for which he wrote: "With these belated memoirs penned in 1880, primarily for my dear family as well as for a few friends, I have indeed forgotten much and have intentionally left much, in fact a great deal, unsaid. For these sketches should offer you only pleasant reminiscences."[19] In truth, they offer much more. They reveal a painter with a lively sense of Jewishness who saw fit to devote a large part of his final testament not to matters of art but to religion. His life was recounted from a Jewish perspective and, consequently, serves to illuminate his art.

III.5 (p. ע20)

B

The most remarkable biographical fact in the life of this "first Jewish painter" in Germany is that his dramatic ascent from the ghetto of Hanau, where he was born in 1800, to the honorary title of professor bestowed on him in 1827 by the Grand Duke of Weimar at the recommendation of Goethe, did not pass through the portal of conversion.[20] In those early decades of partial emancipation, few talented Jews were prepared to deny themselves the unfolding career opportunities afforded by conversion. For most, like Abraham Mendelssohn, who was fated to provide the link between a famous father and a renowned son, religion meant little more than ethics, which could readily be wrapped in most any ceremonial garb.[21] Among aspiring Jewish painters, conversion assured talent its just reward, while the rising middle class, with its hunger for status and immortality, created an ever-expanding market for portraiture. Eduard Magnus, the painter of Felix Mendelssohn and one of Berlin's most heralded portraitists, was born in Berlin in 1799 and baptized while yet a child.[22] In contrast, Eduard Bendemann, son of a Berlin banker and the close friend of Felix Mendelssohn, converted in 1835 when he married the daughter of his famous Nazarene teacher Wilhelm Schadow, whom he eventually succeeded in 1859 as the director of the important Düsseldorf Academy. It is worth noting that the act of conversion was sandwiched in between Bende-

V.7 (p. E62)

III.27

ליל הסדר, אוסף אוסקר גרוס
Passover, Oscar Gruss Collection

mann's grandiloquent artistic statements on the end of Jewish history—*The Jews Mourning in Babylon* (1832) and *Jeremiah at the Ruins of Jerusalem* (1836). These celebrated paintings express more than the pathos of destruction and exile; they imbue the year 587 B.C.E. with a finality that is distinctly Christian.[23]

Oppenheim chose to read Jewish history differently and eventually became a spokesman for the religion he refused to abandon. An age of waning communal constraints and universal disdain for Judaism inevitably transformed a posture of personal loyalty into a paradigmatic model. Like Moses Mendelssohn and Gabriel Riesser, Oppenheim was prepared to use his professional skills in defense of his religious convictions. A coherence between ancestral faith and cultural creativity is the conspicuous leitmotif of the memoir and suggests that Oppenheim was quite aware that the message of his Jewish art sprang from religious sentiments sown in childhood.

That childhood as recollected from a distance of seven decades conveys a family life in which piety and prosperity had not yet been torn asunder. The few clues provided by Oppenheim indicate that his family must have belonged to the wealthier members of the Hanau *Judengasse* with its approximately eighty Jewish dwellings.[24] The house was comfortably outfitted with expensive ceremonial objects and Oppenheim's father, who probably was a merchant of some kind, seems to have had among his best customers local Christians of status and wealth. Despite a decline in the family's fortunes, resulting perhaps from the French occupation from 1806 to 1813, a change of which even the young Oppenheim was conscious, his father still managed to pay for tutors and a variety of schooling and to amass a dowery of several thousand gulden for his only daughter.[25] The relevance of this sparse economic information to Oppenheim's art may just be in the possibility that the distinctly bourgeois standard of living embodied in the family scenes of the *Bilder* is less a retrojection of nineteenth-century tastes than a reflection of the actual comfort of his parental home. For there is no question that Oppenheim dipped freely into his childhood memories for the material of his art.

III.28 (p. E37)

The most striking proof of this dependence is his oil painting of 1878 entitled *A Jewish School for Infants*. According to Oppenheim, such a one-room school for toddlers from the ghetto constituted his earliest formal learning experience. The infants were confined to benches along the walls, until called up to learn the Hebrew alphabet from an elderly teacher seated in a large easy chair in the middle of the room. Barely able to reach the top of the table in front of him, they had to stand on a box to see the printed page from which he taught them. Oppenheim's verbal description of this scene fully matches the painting of 1878, including the tone of affectionate irony.[26]

In general, the Oppenheim paintings seem to be anchored in the religious atmosphere of his own childhood. The rhythm and ethos of traditional Judaism still governed both home and street. Holidays were observed with an eye to beauty and Moritz's drawings decorated the Sukkah. Hard times did not curb the habit of giving charity. The formative personality in Oppenheim's young life was apparently his mother, a devout and decent woman who set the religious tone of the home. According to family tradition, she gave birth to Moritz at the end of a day-long religious fast (the tenth of Tevet). His abiding affection for her is evidenced not only in his anguish at the news of her death, while he is off pursuing an artistic career in Rome, but also in the moving tribute to her that he pens as an octagenarian in his memoir.[27] The caring and dignified women who grace Oppenheim's depiction of traditional family life are evidently drawn from vivid personal recollections.

III.28

The childhood in Hanau coincided with the start of momentous changes in Jewish life, and the processes of emancipation and assimilation clearly impacted on the Oppenheim family. Most intriguing in Oppenheim's reconstruction of those years is the utter naturalness with which the family seems to have integrated. The agony of dissonance and alienation which so often characterized that first generation of Jews out of the ghetto is absent, or at least forgotten. Secular education, new forms of self-expression, and a Gentile ambience were appropriated without discarding traditional modes of piety. This unconflicted co-existence predated the French amelioration of 1806, for even Oppenheim's pious mother enjoyed German literature and an occasional visit to the theatre, to which she often took Moritz. Still, one stepped outside the ghetto gates with trepidation. The young Oppenheim dreaded his weekly lesson in German calligraphy amid a class of unfriendly Christian children and his father forbade him ever to leave the ghetto to play with them. Yet after 1806 the family did not hesitate to send him to a Gymnasium to prepare for a possible career in medicine nor did it protest when he began to show a serious interest in becoming a painter.[28] How many modern Jewish painters from Eastern Europe realized their native talents only by ignoring the sometimes bitter opposition of parents still steeped in traditional Judaism![29] The harmony achieved in his parental home between what appeared to many as the polar opposites of Judaism and the German world would become the personal trademark of Oppenheim's own career as a Jewish painter.

If the memoir is to be believed, and it was not intended for publication, his education as a painter did not induce him to conceal his religious identity or to suppress his Jewish consciousness. While still in Hanau he gained entry by virtue of his promise to the art collection of a local count. There he spent his weekdays copying the masters, while continuing to adhere to the dietary laws so strictly that on one early occasion, when the countess went to the trouble of obtaining kosher meat for him, he awkwardly refused to touch it. Upon hearing the story, his parents seemed to approve, his very pious brother Isaac sang his praises outright, and his older brother Simon, already somewhat of a freethinker, slapped him in dismay.[30] If a delicate
I.1 (p. ע8) self-portrait can be dated to this period, his appearance bespoke his loyalties: a sensitive young man, distinctly Jewish, with a large skullcap and sidelocks neatly combed back over his ears.[31] Sometime later in Munich, the next stop on his artistic journey, he lodged and took his meals at a kosher inn. In addition to the thirty gulden provided him monthly by Simon, he began to paint portraits "a tout prix," though not on the Sabbath. At one point, his homesickness was relieved by a hundred-page German letter in Hebrew characters which minutely described life in his beloved Hanau *Judengasse* "that could scarcely have been matched by a Kompert." The writer was his brother Herz who eventually married a Christian. From Munich Oppenheim went to Paris where his stay of several months at the studio of Jean Baptiste Regnault did not teach him much more than to overcome his inhibition at painting models in the nude.[32]

The decisive spurt to artistic maturity and public acclaim came during Oppenheim's four-year sojourn in Rome from 1821 to 1825, where he fell under the influence of the German Nazarenes and especially their leader Johann Friedrich Overbeck. According to Ferdinand
I.16 (p. E18) Hiller, the composer and long-time friend of Oppenheim, he always regarded Overbeck's *oeuvre* with unrestrained enthusiasm.[33] However, it was not the monuments of Rome or the austere religious intensity of the Nazarenes or the dazzle of high German society in which he traveled that riveted the imagination of the aspiring Jewish painter, but rather the ancient and still oppressed Roman ghetto. Repeatedly he returned till he penetrated its layers of suspicion toward strangers. In time he was able to arrange for Sabbath meals in the ghetto; he observed its different rituals attentively, and bristled at the indignities to which its occupants were still subjected by the Church. Efforts to convert him by the Nazarenes merely reinforced his loyalties. He celebrated the simplicity, intimacy, and equality of the synagogue over against

the ornate splendor, economic disparities, and hierarchical structure of Roman Catholicism.[34] News of his mother's death sent him reeling in grief to the ghetto where he spent the seven-day period of intense mourning (the *shiva*) among his coreligionists. Thereafter he relocated for a time to Naples to shake his state of depression without giving up on finding a quorum of Jews in which to recite the Kaddish. More important, Naples provided the key to his future. The warm reception accorded him by Baron Carl Meyer von Rothschild created the ties which would eventually make Oppenheim the painter and art factotum of the Frankfurt Rothschilds. In 1825 Oppenheim left Italy and took up permanent residence in Frankfurt, where in time he became known as "the painter of the Rothschilds and the Rothschild of the painters."[35]

The purpose of this selective biographical excursus has been to illuminate the second half of that sobriquet. To be called "the Rothschild of the painters" surely meant that Oppenheim was the best in his field, but beyond that it also connoted the sense that excellence and notoriety were not gained at the expense of religion. Accomplishment in the larger world did not sever parochial moorings. As with the Rothschilds themselves, pride of ancestry remained, even as the degree of observance waned. There is no intention here to argue that Oppenheim abided by all the minutiae of Jewish law, though he probably observed much more than just the fast of Yom Kippur as reported by Hiller in his revealing obituary. The point is rather, as Hiller rightly stressed, that Judaism unquestionably played a large part in his life. Hiller defined "the special relationship" insightfully as "less of a faith or religion than a home (*Heimat*)."[36] For Oppenheim, and I dare say for many Jews of the modern era, Judaism was neither creedal nor behavioral but emotional — a sense of place, an organizing principle of reality acquired in childhood and anchored in filial piety. In depicting the sanctity of the Jewish home, Oppenheim avowed its centrality in the formation of religious sentiment, autobiographically and historically.

C

The global message of the Oppenheim *Bilder* was concisely put by Stein toward the end of the volume through a Riesser quotation: "the Jew of the nineteenth century seeks to be fair to the present but not to deny his past."[37] But to state the message so baldly is to miss the subtle indirection and nuanced effect with which it was delivered. The paintings were disarmingly didactic in their treatment of a diversity of themes once freighted with controversy. A bitterly contested emancipation had rendered the right of Judaism to survive highly problematic, and only our own familiarity with the paintings and distance from the period have dulled our senses to the issues. In other words, the complex message of the medium can best be explicated through a contextual analysis of its thematic strands. Appearances notwithstanding, there was nothing innocent or self-evident about the way Oppenheim worked. Stein rightfully called him "the thinking painter."[38]

As the title of the series indicates, the focus was the family and no less than thirteen of the twenty scenes related to the practice of Judaism in a family setting. The Jewish home had constituted the locus of Oppenheim's earliest venture into the genre mode, *The Return of the Volunteer*, and at the time Riesser in his verbose but insightful acceptance statement stressed III.9 (p. ע24) the significance of the choice: "Indeed the artist has chosen the right picture in order to bring vividly to mind our religion as formed thousands of years ago: the family (as) its sanctuary, parental love its symbol, father and mother its priests (*die Heiligen*)."[39] By the 1860's, the cultural taste of middle class Germans reinforced the choice. The era of the *Gartenlaube* was in full swing with the family as both its audience and program. A weekly with a large national circulation, it embarked on a program of gradual political liberalization through the edification of the family. Its handsomely illustrated pages provided a predigested fare of science, ethnography, fiction, poetry, history and politics, something for every member of the family delivered at a leisurely pace in florid, sentimental prose. The tone was reverential, the mood optimistic, and the cultural purview quite cosmopolitan.[40] Thus when Oppenheim conceived the idea of portraying Judaism graphically, there was no reason to alter the setting. The family was "in."

Beyond that, the family focus permitted Oppenheim to start from strength. Friend and foe alike had long agreed that the vigor and sanctity of family life was crucial to understanding Judaism religiously and historically. Hegel's deep insight into the character of the Hebrew Bible applied to much of pre-modern Judaism: "The individual never comes to the consciousness of independence; on that account we do not find among the Jews any belief in the immortality of the soul; for individuality does not exist in and for itself. But though in Judaism the *Individual* is not respected the *Family* has inherent value; for the worship of Jehovah is attached to the Family, and it is consequently viewed as a substantial existence."[41] While the theological condition described by Hegel had been corrected by Rabbinic Judaism with the introduction of a belief in an afterlife, the subservience of the individual Jew to communal constraints remained a social reality throughout the medieval period.

In 1846, in a stirring historical drama on Uriel Acosta, the prolific gentile author and acknowledged leader of the radical Young Germans, Karl Gutzkow, delivered a shuddering example of the once terrifying power of clerical authority in Jewish life. The power of the ancient truism that "the magic of the family is deeply rooted in our people" induced Acosta, the prototype of a nineteenth-century Jewish intellectual, to abandon his vision of truth, to forego flight, and to suffer the vengeance of the Rabbinic court in Amsterdam. Attachment to family led to intellectual castration and martyrdom. Yet the object of Gutzkow's controlled wrath was not the post-emancipation Jewish community but the reigning conservative alliance of throne and altar in Prussia.[42]

By mid-century political emancipation had transformed the medieval social reality, setting the individual Jew free to conduct his life in accord with the dictates of his conscience, and libido. Adherence to Jewish law had become entirely a matter of personal volition and religious practice, increasingly confined to the arena of the synagogue. Oppenheim appeared to counter these trends by recalling the importance of the family in the habituation of religious practice and the inculcation of moral values. Unbridled individual freedom could be moderated only by the revival of a living religion in the home. A Judaism restricted to the synagogue would soon resemble little more than a museum relic. Private practice had to correspond to public profession in order that inner commitment might supplant external compulsion.

As portrayed by Oppenheim, the traditional Jewish family was imbued with a love for learning. Living rooms are lined with shelves of sacred books and their study is an extension of worship. Older men remain in the synagogue long after the end of public prayer to immerse themselves in the perusal of timeless texts, whereas the home provides the forum in which the youngster is called upon to display the accomplishments of the classroom, on Saturday
(p. E43) afternoons and on the occasion of his *Bar-Mitzvah*. The ghetto was not a community of illiterates, and even women, who as a rule were denied the benefit of formal religious education, were not strangers to the printed word. In one telling depiction of the tangible
(p. E41) tranquility of the ghetto street on Saturday afternoon, Oppenheim prominently displayed the figure of a wizen grandmother pouring over the scriptural lesson of the week in her personal copy of the *Ze'enah U-re'enah*, the Yiddish anthology of Rabbinic homily and exegesis for

מנוחת השבת, אוסף אוסקר גרוס
Sabbath Rest, Oscar Gruss Collection

ברית־מילה, אוסף אוסקר גרוס
Circumcision, Oscar Gruss Collection

דרשת בר־המצווה, אוסף אוסקר גרוס
Bar Mitzvah Speech, Oscar Gruss Collection

women in the Ashkenazi world.[43] The upshot of these details was to temper the collective "inferiority complex" which had set in with the first faint glimmer of a change in the locus of Jewish life, from the periphery of the body politic into its very midst. Beginning with Mendelssohn, Jewish leadership had adopted a program of self-improvement, predicated on the unquestioned cultural backwardness of the Jewish masses.[44] Oppenheim's portrayal softened the critique: perhaps uncultured, but not unlettered. The "oriental" heritage of Judaism may be alien and distasteful to western sensibilities, but it is not objectively primitive. Nor is Yiddish a badge of shame. Obliquely Oppenheim made a case for the cerebral character of traditional Judaism.

With less restraint, he celebrated the dignity of the Jewish woman. She presided over the sanctuary in which the routine of daily life was sanctified by the practice of Judaism, and Oppenheim projected her as a commanding presence, a person of stature, wisdom, warmth, and piety. The nobility and harmony which marked the homes he painted were her accomplishment. From the very outset in his *Return of the Volunteer* Oppenheim assigned the mother pride of place by locating her at the very heart of the scene. Attention to her dominant religious role domestically yielded a more balanced judgment on the status of women in traditional Judaism than the wholesale indictment set forth by Abraham Geiger just a few years later in 1837: "Let there be no distinction from now on between the duties for men and women unless deriving from the natural laws governing the sexes; no assumption about the intellectual minority of women as though they were incapable of grasping the profound truths of religion; no institution of public worship, either in terms of form or content, that would close the gates of the temple to women; no humiliation of women in the form of the marriage-service and no imposition of fetters which might easily come to destroy a woman's happiness." But Geiger was a full century ahead of his time. The acquisition of political rights for women within the *Gemeinde* (the right to vote and be elected) had to precede the campaign for equality within the synagogue.[45] In contrast to Geiger, Oppenheim sensed that the absence of public equality in Jewish life did not simply mean religious nonage or historical insignificance. Through the agency of the family, women exerted constant influence on the course of Jewish survival. In the words of Stein on the studious grandmother with her Yiddish compendium: "Look carefully again at this lovable and loyal little old lady and the riddle will be unraveled, how the Jewish people (*Volksstam̄*) managed to avoid drowning amid its endless suffering — *the virtue of its women rescued it.*"[46]

If the family was crucial to the transmission of Judaism, it also served to refract the quality of both its moral and ritual dimensions. As focus for the entire series, the family lent itself to a visual discourse on the nature of Judaism. The subject begged for popular treatment, for the formidable and largely unreconciled opposition to emancipation in Germany had rested much of its case on a relentlessly derogatory view of Judaism. Could adherents of such a religion become useful and trustworthy citizens? Many Jews, who likewise identified with this critique, suffered from grave doubts.[47]

Oppenheim's traditional family exemplified the loftiness of Jewish morality. In a variety of settings, he demonstrated the sanctity and wholesomeness of matrimony in Judaism, grounded in religious commitment and governed by mutual respect and affection. The purpose of marriage was to have children and they abounded in these paintings. Only one,
Ill.20 (p. E48) depicting the observance of a *Jahrzeit* somewhere during the Franco-Prussian War, was without the presence of even a single Jewish child, for obvious reasons. Observance is a family affair and children of all ages are included. The cultivation of a lasting love for Judaism is the ultimate goal of a recurring pageantry of ritual. Children are not only an object of endless

pleasure and pride but more deeply a source of consolation: they symbolize the future of Judaism. In turn, whether the occasion is solemn or festive, the relationship with them is marked by tenderness.

Equally significant, Oppenheim stressed that tenderness extended beyond the immediate members of the family. The frequent figure of the Polish Jew with his distinctive garb in III.19 (p. ע34) paintings like *Sabbath Eve, Sabbath Afternoon, Close of Sabbath,* and *Passover* bespoke the openness and hospitality of the traditional Jewish home. In fact, concern for the stranger transcended the Jewish world. In *The Village Vendor*, a picture to which we shall return, (p. E50) Oppenheim prominently displayed a Jewish youngster accompanying his father about to journey forth for the week, giving charity to a barefoot German adolescent. There is no double standard here: want, regardless of creed, deserves to be alleviated.

On the quality of Jewish morality, Oppenheim's art took issue with Kant's philosophy, which had denied moral worth to any externally-dictated act. Only acts which derive from the self-legislating capacity of rational man, from the autonomy of his individual will, can lay claim to the title of ethical behavior. Kant's philosophic attack against the very idea of a heteronomous moral system, while threatening all revealed religion, posed a special challenge to Judaism with its thoroughly legal character. To Kant it seemed heteronomy incarnate, a statutory corpus imposed for political ends. Lacking ethical intent, Judaism proliferated forms of soulless piety. In consequence, Kant refused to grant it the name religion or even a place in the history of religion.[48]

Given the source, the substance of this harsh indictment was to reverberate down the next two centuries to Moritz Lazarus, Hermann Cohen, and beyond. The import of Oppenheim's work was to restore Judaism to the status of religion. The moral norms embodied in the traditional family certainly had their roots in external prescription, but the ease and grace of their enactment testified persuasively as to the degree of internalization. Not the source but the wholehearted acceptance of norms measured the worth of an ethical act, even in the noumenal world. In the phenomenal world illustrated by Oppenheim, the spontaneous and natural expression of the moral virtues pointed to a successful transition from heteronomy to autonomy.[49]

On the quality of Jewish ritual, Oppenheim produced even more evidence to refute the charge of "mechanical worship."[50] Indeed, many Jews shared and amplified the charge, even as they defended the integrity of Jewish morality.[51] Oppenheim's art served to dissolve the prevailing conception of law and piety as polar opposites. As lived in the traditional Jewish home, prescribed ritual was neither dreary nor oppressive, observed only out of guilt; nor was it the antithesis of joy, beauty, or serenity. Rather it constituted the uplifting medium of expression for genuine religious sentiment and a set of colorful symbols for conveying ultimate meaning. Nowhere was this inner spirituality more effectively shown than in Oppenheim's portrayal of the final moments in the synagogue before the start of Yom Kippur: a myriad of telling details (p. E64) summed up the solemnity of the hour and the state of individual preparedness.[52]

In the process of averring Judaism as religion, Oppenheim touched upon some very specific and highly charged issues. For example, he communicated the sense of Jewish unity which had prevailed prior to the rupture of emancipation. In one picture there is the ubiquitous charity box for the Holy Land, in another a Palestinian emissary probably working the Diaspora for funds.[53] And in many, as noted before, there is the Polish guest, whose honorable welcome in German homes suggested the common language, shared religious practice, and frequent intercourse which had once joined the disparate sectors of the Ashkenazi world.[54] Emancipation in the west had inflicted a bifurcation that turned kinsmen into adversaries.

(p. E42)   Similarly provocative was the circumcision scene which introduced the entire series. While that choice may seem quite natural, given the fact that the first six paintings depict the life cycle, it must be remembered that circumcision was a rite that offended the sensibilities of many an educated German Jew who regarded it as a primitive vestige of an oriental religion. Some of them refused to have sons circumcised while insisting on their Jewishness and their right to be registered as members of the *Gemeinde*. Clearly the matter touched on basic questions of self-definition and status and consequently remained a bone of public contention from the time of the Frankfurt Reform Association in 1843 to the Augsburg Synod of 1871.[55] In 1866, some three years after Oppenheim had completed the original oil painting of the circumcision scene, sixty-six Viennese Jewish doctors submitted a brief against the rite to the board of the Vienna Jewish community, claiming among other things that the operation fated Jewish children to be physically weaker than their Christian counterparts and curtailed the lifespan of Jewish males.[56]

Indeed, Oppenheim did give heed to contemporary sensibilities. His oblique representation focused merely on the *dramatis personae* prior to the baby's arrival, in striking contrast to Bernard Picart's indelicate engraving of some 130 years earlier where the exposed child is center stage with legs held forcibly apart and foreskin about to be clipped. Furthermore, Oppenheim, unlike Picart, located the ceremony visibly in the synagogue after the morning service, and the place bestowed the meaning. Circumcision is a religious act, neither barbaric nor hygienic, which defines status. Not private birth but public initiation marks a male's entry into the covenant of Judaism.[57]

III.10 (p. E3)   In his treatment of the marriage ceremony, Oppenheim again appeared intent to underscore the religious nature of the occasion. Despite the fact that this time the locus was outside the synagogue, in accordance with late medieval Ashkenazi practice, the presence of a rabbinic officiant from eastern Europe draped in a prayer shawl, the serious demeanor of bride and groom, and the display of two decanters of wine projected the solemnity of a religious act, exactly the mood which Picart's raucous version of a Jewish wedding had failed to convey.[58] Given the widespread view that a Jewish marriage was no more than a civil act concluding an economic arrangement, the point was by no means idle. Samuel Holdheim, the most consistent and therefore extreme Reformer of the century, had devoted an entire book in 1843 to the argument that both legally and historically matters of personal status in Jewish law belong to the civil realm and hence should be relinquished to the jurisdiction of the state.[59] Berthold Auerbach disseminated the same view in his widely read novel *Dichter und Kaufmann* where he offered the following interpretation of the Jewish wedding: "...their marriages (i.e. of Jewish beggars on the road) were consummated on the country roads by the simple transfer of a ring and the presence of two witnesses. Such a marriage was perfectly lawful according to the original principles of the Jewish religion, for marriage, as a purely civil contract, needed no clergyman, and even by the clergy was not consecrated in the synagogues, but outside under a canopy stretched for the purpose."[60] It was to counter this uncomplimentary impression that early in the nineteenth century German Jews began to transfer their weddings into the synagogue and to embellish them with an edifying address. Precisely because of the resemblance to Christian practice, Hungarian Orthodoxy, but not German, repudiated even this minimal change in custom.[61] Its unbroken insularity spared it the need to establish the spirituality of Judaism. Without the intrusion of self-consciousness, the familiar was still self-evident. But Oppenheim addressed acculturated German Jews who had to defend their

III.13

Original. Zeichnung von Prof. M. Oppenheim.
Studien Fig. aus der „Trauung.“ Geschenk von Frau Jul. Oppenheim
am 6. Januar 1884.

III.12

III.20

III.23

הרוכל הכפרי IV.12
The Village Vendor

right to remain different. His extraordinary success in creating a visual panoply of moments of Jewish piety made his work an effective instrument for correcting Christian as well as Jewish biases.

The didactic art of Oppenheim accomplished not only a transvaluation of traditional Judaism but also a rehabilitation of the ghetto in which it was practiced. Chronologically most of the scenes were placed in the closing decades of the eighteenth century when residence was still restricted to the ghetto and emancipation, but a chimera. The vision of that ghetto conjured up by the artist's eye, however, hardly accorded with the prevailing image. Oppenheim's ghettos did not loom as the embodiment of Jewish cultural inferiority, social backwardness, economic sterility, and moral depravity as contended so vehemently by the early opponents of emancipation and the Maskilim. In the spirit of Heine's *Sabbath Princess*, Oppenheim painted the ghetto as a refuge of civility and sanctity in an uncivilized world, an oasis in which the Jew, forced to seek his livelihood in hostile terrain, returned to restore body and soul. In his comment on *The Village Vendor* Stein struck the same note: "In the ghetto in which they were locked up nightly and turned into city prisoners, there they were actually free, uplifted by an ennobling feeling of self-worth."[62] Moreover, Oppenheim's vendor was neither a hawker nor a huckster, but a respectable, well-dressed traveling merchant whose bearing betokened probity and integrity. The ghetto was a community permeated with middle class values, a transcendent rhythm, and a sense of superiority. Closing the gates meant excluding an inferior way of life. Stein cited the revealing response of one former ghetto dweller when asked what it felt like to be locked in over the weekend? "What?" explained the jovial old man. "They locked us in? Not at all! We locked them out."[63] (p. E50)

Rehabilitation of the pre-emancipation ghetto, therefore, was an exercise in reconciliation. To Jews but a generation or two out of the ghetto Oppenheim proclaimed that such humble origins were not a badge of shame or a source of character defects. The unabated virulence of German resistance to Jewish aspirations was not to be explained in terms of vestigial traits from the ghetto which impaired Jewish behavior. The appropriate attitude toward the immediate past was pride and not embarrassment. Oppenheim had set out to create a usable past, one that might spare Jews the enervating waste involved in repressing the ghetto experience. In consequence, Adolph Kohut could report at the turn of the century in his popular one-volume *Geschichte der deutschen Juden*: "With amazement does the world now realize that the ghetto was not only filled with dark walls and narrow alleys, but also with an abundance of poetry and spirit."[64]

If Oppenheim's *Bilder* open in the ghetto of the eighteenth century, they close unmistakably in the emancipation of the nineteenth. The final three paintings of *The Village Vendor, Jahrzeit Service*, and *The Return of the Volunteer* seem carefully designed and selected to recapitulate a major theme implicit throughout the series: the compatibility of Judaism with the demands of citizenship. They deal not merely with the life of the individual Jew outside the ghetto, but the emergence of Judaism from the ghetto. Thus both substantively and chronologically they constitute a fitting denouement. They proclaim overtly that the adherents of Judaism are unequivocally suited for admission into the body politic, for as Oppenheim had shown with such pathos and insight, Jews are neither misanthropes, nor subversives, nor parasites. The compatibility of their twin allegiance to religion and country was deftly enunciated already in *The Village Vendor*, a poignant vignette suggesting the larger phenomenon of transition from the periphery of civil society to its center. As the vendor leaves his home he kisses the *mezuzah* while his son treats a wandering Christian youth to an act of charity. The very simultaneity of the two acts on the threshold of entering the outside world symbolized the lack of conflict between the disparate sets of obligations. III.20 (p. E48) III.9 (p. y24)

(p. E53) In a striking detail of an earlier picture in the series, *The Rabbi's Blessing*, Oppenheim alluded to the ample experience of medieval Jewry in reconciling the dictates of multiple loyalties. The synagogue in which the sage blessed the youngster after a Sabbath morning service has a pillar displaying a large plaque with the traditional Hebrew prayer for the welfare of the gentile ruler just above a padlocked charity box for Jews in Jerusalem. Their close proximity in the sanctuary denoted the degree of compatibility.

For the modern world, however, the ultimate test of compatibility was the battlefield, and emancipated Jewry hastened to allay all doubts. In 1807 the Paris Sanhedrin granted Jews in the military, whether at the front or not, a blanket dispensation from the gamut of religious obligations for the duration of their service, and in 1846 the Breslau Rabbinical Conference exempted soldiers and civil servants from the manifold duties of Sabbath observance.[65] But the intent of Oppenheim's final two pictures on Jews in the military was not to reiterate or amplify those anxious declarations. On the contrary, he seemed eager to demonstrate that even the absorbing demands of wartime did not require a total suspension of Jewish loyalty. The issue, of course, was not military service alone, but the uncompromising conception of citizenship. In his reflections on the *Return of the Volunteer*, Riesser had emphasized the symbolic character of the painting: "We see in the youthful warrior the inspired love for the fatherland coupled with the fervent adherence to the religious life of his family to whose bosom he returns."[66] Some thirty years later, when Oppenheim returned to the painting to prepare the grisaille for the printed portfolio, he heightened its effect: the young soldier now bears a distinctively Jewish physiognomy, carries his arm in a sling testifying to service on the battlefield, and has an admiring sister with head demurely covered who no longer looks like his lover.[67]

Oppenheim's assertiveness went beyond a claim for compatibility to a denial of subordination. Piety and patriotism were co-equal, that is the vision of emancipation enunciated in his rendition of a *Jahrzeit* observance during the Franco-Prussian War. A ragtag Minyan of German soldiers in a French farmhouse brings the war to a momentary halt. Even in the midst of battle Judaism claims its rights. The focus is not what has to be surrendered but rather what can be preserved. Oppenheim assumes compatibility and urges self-respect. Reverence for one's ancestors is a declaration of the right to be different, of a conception of citizenship that did not curb freedom of religion, of a vision of society based on cultural pluralism.[68]

The point of this essay has been to contend that this idea of emancipation was not the isolated view of a Gabriel Riesser or a Moritz Oppenheim but the public credo of German Jewry. Oppenheim translated Riesser's emancipation ideology into the medium of art and the unprecedented acclaim for both men is testimony to its diffusion. Nearly all the paintings were completed in the decade of the 1860s as the final legal barriers to full emancipation were being dismantled across Germany, and their serene, sentimental mood betrays the hopefulness of the age as well as the sunny disposition of the artist. Ignored is the pain and precariousness of Jewish existence, with Tish'a Be'av, the fast day commemorating the destruction of the temples in Jerusalem, conspicuously missing.[69] Yet at least part of the immense popularity of the series is directly attributable to the renewed virulence and ominous dimensions of anti-Semitism in Germany at the end of the 1870's. It is hardly an accident of publishing history that Oppenheim's *Bilder* in book form went through two quick editions in the 1880's at a time when confidence in the permanence and quality of emancipation began to waver. Stein's sober comment on the *Return of the Volunteer* suddenly gained a distressing relevance: "May the broken arm not symbolize the shattered expectations of the Jews nor the cross (the iron cross on the young soldier's chest) the return of the 'Christian state'."[70] Both the medium and the message served

ברכת הרב, אוסף אוסקר גרוס
The Rabbi's Blessing, Oscar Gruss Collection

to fortify the resolve of an anxious community. Counsel delivered in a decade of hope had become consolation for a decade of gloom: political equality was not to be secured through religious suicide. With Oppenheim, Jewish iconography emerged as a wholly new and unexpected resource in the battle to preserve Jewish identity.

One telling piece of external evidence, also drawn from the field of Jewish iconography, to confirm this reading of Oppenheim and his audience. Some time after the Franco-Prussian
(p. E55) War, an anonymous artist created a commemorative panel of the Yom Kippur services held for Jewish soldiers of the German army on the 5th and 6th of October 1870 outside the besieged city of Metz. Again it was the mass production and broad appeal of this artifact of folk art which attract the attention of the social historian. The scene is a valley with a large assembly of Jewish soldiers standing in reverential pose and fervent prayer, facing a small mound with a simple wooden ark, a large box serving as a table, and a cantor with *talit* leading the services. In the distance lies Metz dominated by a single church spire and up on the hill, barely visible, a line of German soldiers guarding their praying comrades in arms throughout the day. In the corners of the panel is a consecutive poetic rendition of the event in which we are told that 1200 Jewish soldiers participated, while along the top in both Hebrew and German appears the resonant verse from the prophet Malachi: "Do we not all have one father; did not one God create us all?"[71]

Investigation into the literary sources on the war experience quickly reveals that the panel depicts a pious myth, but which, like all myth, is redolent with existential meaning. The facts of the matter are more modest, though not less significant. As a result of inquiries from two sides — Jewish soldiers in the field and the rabbinate of Mannheim — permission was granted to a rabbinic intern from Mannheim by the commanding general of the First Army Corps, von Manteuffel, to conduct services during Yom Kippur running a total of seven and a half hours. Held in two small adjoining rooms and without benefit of a Torah scroll, the services attracted some 150 Jewish military personnel. According to one grateful participant the religious intensity was extraordinary: "Not one of us ever prayed with such ardent devotion in the most magnificent temple back home as in this small, humble room with its broken-down door, knocked-out windows, and walls riddled by shells."[72]

However, historical significance had little to do with size or fervor. The occasion marked a rare instance in which the Prussian government extended a token of official sanction to the practice of Judaism. Unlike the wars against Denmark in 1864 and Austria in 1866, this war had coincided with the fall festivals of the Jewish calendar and the demand for chaplains and services was not only an expression of religious need but also of political aspiration. Jewish spokesmen were coming to realize that in a country of established churches, genuine emancipation had to comprise equal status for Jews and Judaism. The government's long-standing policy of denying status and support to the religious institutions and spiritual leaders of Judaism unfurled for all to see its contempt for the religion of its Jewish citizens. The gesture of Manteuffel and the subsequent appointment by the government of three civilian Jewish chaplains seemed to augur a radical change in official policy.[73]

By enlarging freely on the details of the event, the commemorative panel created a myth laden with political symbolism. First, it vividly conveyed a sense of the large number of Jews who had served their country, a figure which Ludwig Phillippson, the venerable editor of Germany's oldest Jewish newspaper, had energetically set out to determine right after the war. With the cooperation of Jewish communal officials he quickly compiled and published a preliminary master list containing the names of 2531 Jewish soldiers, along with a special list of 83 whose wounds had earned them the iron cross.[74] The effort was inspired as much by the

55

תפילת יום הכיפורים, מפת מזכרת, 1870
Yom Kippur Services, commemorative panel, 1870

desire to demonstrate to the government the objective need for Jewish chaplains as by eagerness to exhibit to all the depth of Jewish patriotism. For the artist, the setting of a service provided the only way to construe a visual image of the aggregate of Jews in the army.

At the same time, the imposing size of that service of 1200 Jewish soldiers reinforced the official nature of the occasion. Army headquarters had seen fit to release these men from duty, to treat their religious sensibilities with no less respect and concern than it showed for those of its Catholic and Protestant soldiers. Jews had indeed contributed mightily to the unification of Germany and the service at Metz was emblematic of the hoped-for extension of full legitimacy and equality to Judaism in the new empire.

Finally, the panel symbolized a vision of emancipation that asserted the right to retain and cultivate Jewish loyalties. If even on the battlefield Jews were not compelled to forgo their religious needs, in fact to satisfy them made them better soldiers, then certainly once back in society they had every right to preserve their religious affiliation, in fact doing so made them better citizens. As both the verse from the Hebrew Bible and the line of Christian soldiers standing watch suggest, it was a vision of civic unity based on religious diversity, a diversity itself rooted in and curbed by the consciousness of ultimate theological accord. The body politic had neither the right nor the power to obliterate the religious expression of deep historical loyalties.

The paintings of Oppenheim and the Metz commemorative reflect how far German Jewry had come since the hasty and servile dispensation of the French Sanhedrin. The issue was no longer the need to relinquish but the right to retain. Self-respect had begun to replace fear. A protracted struggle for admission and equality had crystalized a vision of emancipation which not only provided a framework for Jewish survival but also made a contribution to the political theory of the modern state.

D

The source of Oppenheim's inspiration no less than the significance of its execution is a question that likewise transcends the parameters of art history. To be sure, his genre and historical paintings were entirely in tune with the prevailing Biedermeier appetite for depiction of the past as expressed in the meticulous work of Adolf von Menzel, the irreverent art of Karl Spitzweg, and the maudlin illustrations of the *Gartenlaube.* Moreover, we should not discount the influence of the Nazarenes who offered Oppenheim a powerful model for the rejuvenation of art and religion through mutual interaction. Long years after his sojourn in Italy, Oppenheim was still on intimate terms with Philip Veit, the son of Dorothea Schlegel and grandson of Moses Mendelssohn, a devout Catholic, and a leading practitioner of Christian art.[75]

However, the purpose to which the medium was ultimately put derived from Jewish sources and they go well beyond the fond recollection of childhood memories. For Oppenheim, unlike Heine, Judaism remained a living presence, an existential fact which readied him to embrace the justice of Riesser's campaign. The first portfolio appeared just three years after Riesser's death in 1863 and, read correctly, took up the cudgels for the same cause. Whereas Riesser had contended for Judaism's political right to equality and survival, Oppenheim produced the evidence for the authenticity and dignity of its religious life.

But in this regard, he was not the first. Others in the field of literature had preceded him and their work in fact provides the most illuminating context in which to locate the genesis of his

Jewish art. In the mid-decades of the nineteenth century a cluster of young Jewish authors writing in German began to create a genre of ghetto short story and novel whose stance and tone marked a dramatic break with the unreleaved polemical thrust of *Haskalah* and Yiddish literature on the same subject. Born in the shadow of the ghetto and working quite independently of each other, men like Leopold Kompert, Aron Bernstein, Salomon Kohn, Ludwig Philippson, Markus Lehmann, and briefly Berthold Auerbach used the vehicle of fiction to capture the pathos and drama and virtue of the disappearing social microcosm from which they hailed. The ghetto had been blamed for so much, yet understood by so few. With empathy and insight they wrote of Jewish life across Central Europe in the century prior to emancipation, each one about the region he knew best. Through a skillful blend of story, dialogue, and description they conveyed a vivid sense of the ghetto's assorted inhabitants, inner tranquility, ethical nobility, quiet heroism, intellectual elitism, rich family life, language, and folklore without concealing its darker sides or the tensions of transition. These were not novels of rebellion, demolition, or didactic enlightenment, bristling with satire and sarcasm, but rather retrospectives done with warm hues and gentle irony. The novels defied the unabated German, and often Jewish, rhetoric on the need to obliterate the baleful effects of ghetto degeneracy and bespoke a renewal of self-respect based on reconciliation with the immediate past.

The absence of any monographic treatment of the literary accomplishment of these mid-century writers and others reflects the failure to appreciate the basic change in attitude their works embody.[76] The positive valence given to late medieval Ashkenazi Judaism directly contravened the penchant for self-definition in terms of Sefardi Judaism and the conviction that the two centuries before emancipation constituted the nadir of European Jewish history. Both perceptions — of Sefardi superiority rooted in worldliness and Ashkenazi inferiority grounded in insularity — expressed the profound alienation of emancipated German Jewish intellectuals from their own religious heritage. Even Heine who made an abortive effort at some slight correction of the imbalance in his *Der Rabbi von Bacherach* could not suppress his Sefardi preference.[77] The founders of *Wissenschaft des Judentums* wore the same cognitive spectacles and turned first to exhuming the poetic and philosophic monuments of Spanish Jewry or their Islamic Jewish prototypes. The young Zunz soon became cognizant of the prevailing distortion and devoted much of his scholarly output to the rehabilitation of Rabbinic culture in medieval Ashkenaz, though even he despised its later epigoni.[78] Reconciliation had to await the literary imagination, which discovered the beauty of the ghetto's inner life. Based on personal experience and collective memory, the writers of *Ghettogeschichten* conjured up the world of the simple Jew.

It should be evident by now that this proliferating literature, which began with Auerbach's popular *Dichter und Kaufmann* in 1839 and in many ways is the Jewish analogue of his *Schwarzwälder Dorfgeschichten* of 1843, commended itself as a fertile source for Oppenheim's *Bilder*. The stricking affinities in subject and perspective strongly suggest influence. But the evidence is even more concrete and cogent. In perusing this literature with the paintings in mind, one soon comes across literary scenes which seem to have served as the very blueprint for specific pictorial compositions. For example, Bernstein's Posen ghetto drawn so tenderly in *Vögele, der Maggid,* abounds with cats, as do most of Oppenheim's family scenes.[79] Similarly, Bernstein's playful rumination on the *Shabbos* nap as the immediate and ineluctable consequence of the soporific effect of Kugel may have been translated by Oppenheim into the slumbering figure of the father at the table after dinner in his *Sabbath Afternoon*.[80] A still more apparent literary parallel was Auerbach's description of the *Dorfgeher*'s exit on Sunday morning kissing the *mezuzah* as his wife fervently prays for his safety in the background — the same two details showing up later in Oppenheim's composition.[81]

III.16 (cover)

(p. ע35) Finally, and most convincing of all because of the anomaly of the detail, is the literary base for Oppenheim's *Sabbath Eve*. What stands out in this painting is the unorthodox manner in which the father blesses his two daughters upon returning home from the synagogue. Instead of blessing each one separately with two hands upon the head, he blesses them simultaneously with one hand upon each. The change in practice seems to have been lifted right out of a Kompert story from 1846, where the reason becomes evident. There the father is rushed by son and daughter as he enters the house, each one striving to be the first one blessed. In Solomonic fashion, he quickly resolves an instance of troublesome sibling rivalry by extending one hand to each child and blessing them together.[82]

Oppenheim's reliance on literary sources is not surprising. As a pioneer in the artistic portrayal of Jewish life, he had no immediate models. Where could he turn for help in conceptualizing and composing his paintings? As he began to work he must have read or reread authors who in a different medium were striving toward similar objectives: a reconciliation with the past and the enrichment of collective memory. What he accomplished spawned a tradition of Jewish genre painting and yielded an unexpected addition to the depleted forces of Jewish cohesion.

Ismar Schorsch

Ismar Schorsch is·Provost and Professor of Jewish History at the Jewish Theological Seminary, New York.

1 Within the last decade three exhibitions devoted to Oppenheim have been held: at the Washington Hebrew Congregation (1974), Yeshiva University Museum (1977), and the Jewish Museum (1981). See the resulting essays by Manuela Hoelterhoff, *A Monograph on the Works and Life of Moritz Oppenheim* (Washington, 1974); Alfred Werner, *Families and Feasts: Paintings by Oppenheim and Kaufmann* (New York, 1977); Norman L. Kleeblatt, *The Paintings of Moritz Oppenheim* (New York, 1981).

2 Moritz Oppenheim, *Erinnerungen*, edited by Alfred Oppenheim (Frankfurt am Main, 1924), pp. 114-115 (Nachwort).

3 J. Schwanthaler, *Professor M. Oppenheim's Bilder aus dem altjüdischen Familienleben poetisch dargestellt* (Frankfurt am Main, 1876), on back cover. Published by Heinrich Keller, this collection of 18 poems was probably commissioned to be sold along with the portfolio.

4 The Klau Library of HUC-JIR in Cincinnati has a copy of the 1881 portfolio inscribed by Simon Wolf, the well-known American Jewish lawyer and lobbyist, to his wife on August 26, 1881. The title beneath each painting was printed in German, English, French, and occasionally even in Hebrew.

5 *Die Gartenlaube*, 1867, pp. 313-19, 1868, pp. 628-32.

6 *Erinnerungen*, p. 115. The price is mentioned in the advertisement carried by the *Israelitische Wochenschrift*, 1882, p. 284. The Klau Library of HUC-JIR possesses a copy of this now rare first edition: Moritz Oppenheim, *Bilder aus dem altjüdischen Familienleben nach Original-Gemälden. Mit Einführung und Erläuterungen von Leopold Stein* (Frankfurt am Main, 1882). Despite the unsubstantiated claims of several recent writers on Oppenheim, that the first book edition of the *Bilder* was published in 1881, I prefer the testimony of Alfred Oppenheim cited above. Moreover, I have been unable to find even a trace of a copy of such an edition anywhere, whereas I have managed to find copies of the German book editions of 1882, 1886, 1901, and 1913.

7 For this essay I have made use of the 1886 edition. There are no page numbers and the Roman numerals refer to the numbers assigned each painting.

8 The Archives of the Leo Baeck Institute in New York (2798) preserve a set of 20 *Postkarten* published in Frankfurt with titles in four languages. My guess is that they were printed sometime between 1900 and 1914. The information regarding the plates I owe to my friend Prof. Richard Cohen of the Hebrew University and several German acquaintances. The *Israelitische Wochenschrift*, 1882, p. 116 reported in its obituary on Oppenheim that his *Bilder* "had become a staple of the export and art business."
Contemporary written appreciations of the *Bilder* are not lacking though difficult to track down. Those I have found are in the *Allgemeine Zeitung des Judentums*, 1870, p. 225; 1882, p. 226; *Der Israelit*, 1882, erste Beilage zu Nr. 12, pp. 289-90 (claiming that the *Yahrzeit Service* was based on an actual happening during the Franco-Prussian War); and Emil Lehmann, *Gesammelte Schriften*, 2nd ed. (Dresden, n.d.), p. 224.
As for German Jewish genre painters directly inspired by Oppenheim, see Hermann Junker, "Fortsetzung der Oppenheim'schen Bilder aus dem jüdischen Leben," *Populär-wissenschaftliche Monatsblätter*, ed. by Adolf Brüll, 1885, pp. 9-12, and Wilhelm Thielmann, *Aus der Synagoge. Nach der Natur Gezeichnet* (a portfolio edition of ten graphic sketches published about 1899 by Heinrich Keller).
In the spring of 1900, on the occasion of the 100th anniversary of Oppenheim's birth, a large retrospective comprising 142 works was held in Frankfurt. (*Katalog der Ausstellung von Werken des Professor Moritz Oppenheim zur Feier seines 100. Geburtstages im Frankfurter Kunstverein vom 22. April bis 13. Mai 1900.*)
However, by the opening of the pathbreaking Ausstellung jüdischer Künstler in Berlin on Nov. 17, 1907 with some 160 paintings by 70 Jewish artists, the sentimental style of Oppenheim had fallen into disrepute and his work barely represented. (See G. Kutna in *Ost und West*, 1908, col. 24.)

9 On Stein, see Harry W. Ettelson, "Leopold Stein," *Year Book of the Central Conference of American Rabbis*, XXI (1911), pp. 306-07. Robert Liberles, "Leopold Stein and the Paradox of Reform Clericalism, 1844-1862," *Leo Baeck Institute Year Book*, XXVII (1982), pp. 261-79. On the liturgical commission, Jacob J. Petuchowski, *Prayerbook Reform in Europe* (New York, 1968), p. 157.

10 *Bilder*, XV.

11 Gabriel Riesser, "Moritz Oppenheim. Biographische Skizze," *Jahrbuch des Nützlichen und Unterhaltenden für Israeliten*, ed. by K. Klein, 1854, pp. 9-25 (appendix to *Volks-Kalendar und Jahrbuch für Israeliten auf das Jahr 5614* [1854]). In 1865 Livius Fürst, the son of Julius Fürst, published a similarly laudatory though mainly derivative evaluation of Oppenheim in the *Illustrierte Monatshefte für die gesammten Interessen des Judentums*, I (Vienna, 1865), pp. 17-24. On Riesser, see Moshe Rinott, "Gabriel Riesser — Fighter for Jewish Emancipation," *Leo Baeck Institute Year Book*, VII (1962), pp. 11-38.

12 *Gabriel Riesser's Gesammelte Schriften*, ed. by M. Isler, 4 vols. (1867-1868), I, p. 163.

13 Riesser, *Jahrbuch*, p. 18.

14 *Riesser's Gesammelte Schriften*, I, p. 293.

15 Elisheva Cohen, "Moritz Daniel Oppenheim," *Bulletin des Leo Baeck Instituts*, XVI-XVII (1977-78), p. 43, n. 2. According to Mrs. Cohen, Oppenheim's *Nachlass* at the Israel Museum sheds no light on the genesis of his *Bilder* (p. 70).

16 Riesser, *Jahrbuch*, p. 22. Years later in his *Erinnerungen*, Oppenheim spoke with affection, pride, and wit of his long departed friend (pp. 86-88).

17 *Ibid.*, p. 11.

18 *Katalog der Ausstellung Oppenheim*, pp. 10-11, 15. In 1862 Oppenheim also painted in oil the *Raub des Mortara-Kindes* (*Erinnerungen*, p. 121).

19 *Erinnerungen*, p. 96.

20 The accolade is cited by Christine von Kohl in *Monumenta Judaica. Handbuch* (Cologne, 1963), p. 476. The correct year of Oppenheim's birth was established by E. Cohen, p. 42 and is confirmed by the *Katalog der Ausstellung Oppenheim*.

21 Eric Werner, *Mendelssohn. A New Image of the Composer and his Age* (London, 1963), pp. 28-44.

22 Karl Schwartz, *Jewish Artists of the 19th and 20th Centuries* (New York, 1949), p. 25; Käte Gläser, *Das Bildnis im Berliner Biedermeier* (Berlin, 1932?), pp. 26-27, 58-59.

23 *Monumenta Judaica*, pp. 479-80; Adolph Kohut, *Berühmte israelitische Männer und Frauen*, 2 vols. (Leipzig-Reudnitz, n.d.), I, pp. 260-63; S. Kirschstein, *Juedische Graphiker aus der Zeit von 1625-1825* (Berlin, 1918), p. 29; Cecil Roth, ed., *Jewish Art. An Illustrated History* (New York, Toronto, London, 1961), cols. 544-45.

24 The size of the ghetto is given by Paul Arnsberg, *Die jüdischen Gemeinden in Hessen*, 2 vols.(Frankfurt am Main, 1971), I, p. 320.

25 *Erinnerungen*, pp. 7, 18-19.

26 *Ibid.*, pp. 8, 119.

27 *Ibid.*, pp. 5-8, 14, 42-43.

28 *Ibid.*, pp. 10-13.

29 For example, E.M. Lilien (*Ost und West*, 1901, col. 519); Stanislaus Bender (*Sammelmappe Stan. Bender*, 12th ed. [Frankfurt am Main, n.d.], introduction); and Chaim Soutine (Schwarz, pp. 187-89).

30 *Erinnerungen*, p. 16.

31 E. Cohen, p. 46.

32 *Erinnerungen*, pp. 20-25, 28.

33 Ferdinand Hiller, "Der Maler Moritz Oppenheim in Frankfurt am Main," *Erinnerungsblätter* (Cologne, 1884), p. 122.

34 *Erinnerungen*, pp. 32-34, 55-56.

35 *Ibid.*, pp. 44-47, 74-75. The accolade is on p. 75.

36 Hiller, p. 121-22.

37 *Bilder*, XX.

38 *Ibid.*, V.

39 *Riesser's Gesammelte Schriften*, IV, p.719.

40 Ernest K. Bramsted, *Aristocracy and the Middle-Classes in Germany*, revised ed. (Chicago and London, 1967), pp. 203-16; Heinz Klüter, ed., *Facsimile Querschnitt durch die Gartenlaube* (Stuttgart and Vienna, 1963); Henry Wassermann, "Jews and Judaism in the Gartenlaube," *Leo Baeck Institute Year Book*, XXIII (1978), pp. 47-60. (The treatment of Oppenheim is condescending and the reference to the *Gartenlaube* erroneus [p. 51 n. 15].)

41 Georg Wilhelm Friedrich Hegel, *The Philosophy of History* (Dover Publications, New York, 1956), p. 197.

42 *Gutzkows Werke*, ed. by Peter Müller, II (Leipzig and Vienna, n.d.). The quotation is on p. 86.

43 *Bilder*: Das Verhören, Bar-Mizwa-Vortrag, Sabbath-Nachmittag, Der Segen des Rabbi, Sabbath-Ruhe auf der Gasse.

44 Alexander Altmann, *Moses Mendelssohn* (Philadelphia, 1973), pp. 344, 368-72.

45 Abraham Geiger, "Die Stellung des weiblichen Geschlechtes in dem Judentume unserer Zeit," *Wissenschaftliche Zeitschrift für jüdische Theologie*, III (1837), pp. 13-14. On the later period, see Marion Kaplan, *The Jewish Feminist Movement in Germany* (Westport, Conn. and London, 1979), pp. 147-68.

46 *Bilder*, X.

47 Bramsted, pp. 132-49; Jacob Katz, *From Prejudice to Destruction, Anti-Semitism, 1700-1933* (Cambridge, Mass., 1980), pp. 147-220.

48 Immanuel Kant, *Religion within the Limits of Reason Alone* (Harper Torchbooks, N.Y., 1960), pp. 115-20; Emil L. Fackenheim, *Encounters between Judaism and Modern Philosophy* (Philadelphia, 1973), pp. 39-43.

49 *Ibid.*, pp. 43-53.

50 Kant, p. 118.

51 For example, David Friedländer, Solomon Maimon, Lazarus Bendavid, and Saul Ascher. See Michael A. Meyer, *The Origins of the Modern Jew* (Detroit, 1967).

52 *Bilder*: Am Vorabend des Sühnetages.

53 *Bilder*: Der Segen des Rabbi, Das Wochen-oder Pfingst-Fest.

54 *Bilder*: Die Trauung, Freitag Abend, Sabbath-Nachmittag, Sabbath Ausgang, Der Oster-Abend, Am Vorabend des Sühnetages.

55 W. Gunther Plaut, ed., *The Rise of Reform Judaism* (New York, 1963), pp. 206-11.

56 *Referate über die der ersten israelitischen Synode zu Leipzig überreichten Anträge* (Berlin, 1871), pp. 196-97. The contemporary Jewish newspapers were replete with discussions of circumcision. (For a sample, see the *Allgemeine Zeitung des Judentums*, 1869, pp. 693-97; 1870, pp. 429-31.)

57 *The Ceremonies and Religions of the Various Nations of the Known World*, I, *Containing the Ceremonies of the Jews and the Roman Catholics* with copper plates by Bernard Picart (London, 1733), facing p. 80. Oppenheim's painting was discreetly entitled *Der Gevatter erwartet das Kind*.

58 *Bilder*: Die Trauung; *The Ceremonies*, I, facing p. 239.

59 Samuel Holdheim, *Ueber die Autonomie der Rabbinen und das Princip der jüdischen Ehe* (Schwerin, 1843).

60 Berthold Auerbach, *Poet and Merchant*, trans. by Charles T. Brooks (New York, 1877), p. 2.

61 Yekutiel Yehuda Grünewald, *A Contribution to the History of the Religious Reformation in Germany and*

Hungary. *Hamaharam Shick and his Time* (Hebrew) (Jerusalem, 1972), pp. 65-66.

62 *Bilder*, XVIII.

63 *Ibid.*, XVIII.

64 Adolph Kohut, *Geschichte der deutschen Juden* (Berlin, 1898), p. 799.

65 *Décisions doctrinales du Grand Sanhédrin* (Paris, 1812 — reprinted Jerusalem, 1958), p. 46; David Philipson, *The Reform Movement in Judaism*, rev. ed. (New York, 1931), p. 213.

66 *Riesser's Gesammelte Schriften*, IV, p. 721.

67 The original oil painting is at the Leo Baeck Institute in New York, and I am grateful to Dr. Fred Grubel for pointing out to me how noticeably it differs from the grisaille.

68 *Bilder*: Die Jahrzeit (Minian); also above note 8.

69 For example the truly gargantuan American edition (17"x21") of Oppenheim's *Bilder* published by Louis Edward Levy, *The Jewish Year* (Philadelphia, 1895) made one striking adition to the set of 20: the gripping portrayal of Tisha Be'Av by Leopold Horovitz entitled *Mourning for Jerusalem*.

70 *Bilder*, XX.

71 An exemplar is preserved in the archives of the Leo Baeck Institute (1223-1). Another was shown by *The Jewish Museum*, New York in its exhibition *Fabric of Jewish Life. Textiles from the Jewish Museum Collection* (New York, 1977), p. 127. Again I have been told by German Jews that the commemorative panel was found in many Jewish homes. The verse from Malachi is 2:10. There does exist a modified version of the Metz commemorative published by the *Jewish Encyclopedia*, II (New York & London, 1902), p. 287. In this version, German soldiers are off to one side pounding a smoldering Metz with artillery. Accordingly, the resonance of the artist's message has been sharply augmented: even in the midst of battle Jewish soldiers are able to heed the commands of their religion.

72 *Allgemeine Zeitung des Judentums*, 1870, pp. 823-25 (quotation p. 824); 857-61, 873-74, 893.

73 Ismar Schorsch, *Jewish Reactions to German Anti-Semitism* (New York and Philadelphia, 1972), p. 27.

74 *Gedenkbuch an den deutsch-französischen Krieg von 1870-71 Für die deutschen Israeliten* (Bonn, 1871). *Allgemeine Zeitung des Judentums*, 1871, pp. 495-96.

75 *Erinnerungen*, pp. 88-90. Despite his discomfort each time he saw the daughter of Mendelssohn make the sign of the cross when putting her grandson to bed, Oppenheim preserved his friendship with Veit by avoiding any discussion of religion.

76 The available analyses are both general and antiquated. See for example Gustav Karpeles, *Geschichte der jüdischen Literatur*, 2 vols. (Berlin, 1886), pp. 1133-37; Meyer Waxam, A History of Jewish Literature, 5 vols. (New York and London, 1960), IV, pp. 576-90; Joel Müller, Leopold Kompert als jüdischer Geschichtsschreiber," *Popular-wissenschaftliche Monatsblätter*, 1888, pp. 193-96, 217-20; 249-51, 265-73; Karl Emil Franzos, "Leopold Kompert," *Jahrbuch für jüdische Geschichte und Literatur*, IX (1906), pp. 147-60; and the introduction by Stefan Hock to *Leopold Komperts sämtliche Werke*, 10 vols. (Leipzig, n.d.), I, Franzos stands apart from this group in both background and attitude.

77 Philip F. Veit, "Heine: The Marrano Pose," *Monatshefte*, LXVI (1974), pp. 145-56.

78 Ismar Schorsch, "From Wolfenbüttel to Wissenschaft: The Divergent Paths of Isaak Markus Jost and Leopold Zunz," *Leo Baeck Institute Year Book*, XXII (1977), pp. 109-28.

79 Aron Bernstein, *Vögele, der Maggid. Mendel Gibbor* (Berlin, 1860), I, pp. 40, 47.

80 *Ibid.*, p. 78.

81 Auerbach, p. 23.

82 Leopold Kompert, *Aus dem Ghetto*, 3rd ed. (Leipzig, 1887), p. 15. I do wish to note that Alfred Werner in one aside did connect Oppenheim with Kompert but failed to develop the promise of his insight. (A. Werner, "Oppenheim: A Rediscovery," *Midstream*, 1974, p. 55.)

Nachdem Se. Königliche Hoheit, der Großherzog zu Sachsen Weimar Eisenach

x x x

dem Mahler, Moritz Oppenheim, zu Frankfurt a/M, in Betracht seiner vorzüglichen Leistungen in der Oelmahlerey und seiner ausgezeichneten Talente im Fache der Kunst überhaupt, welche Allerhöchst Denenselben theils bekannt, theils angerühmt worden, den Charakter als Professor zu ertheilen die allergnädigste Entschließung gefaßt haben; als ist demselben hierüber, vermöge allerhöchsten Special-Befehls, gegenwärtiges, mit dem Staats-Ministerial-Insiegel bedrucktes Ministerial-Dekret, zu seiner Legitimation, ausgefertigt und zugestellet worden.

Weimar den 16. Mai 1827.

Großherzogl. Sächs. Staats-Ministerium.
I. Departement.

Ministerial-Dekret
für den Großherzogl. Sächs. Professor, Moritz Oppenheim
zu Frankfurt a/M.

Kanzl. v. Müller.

V.7

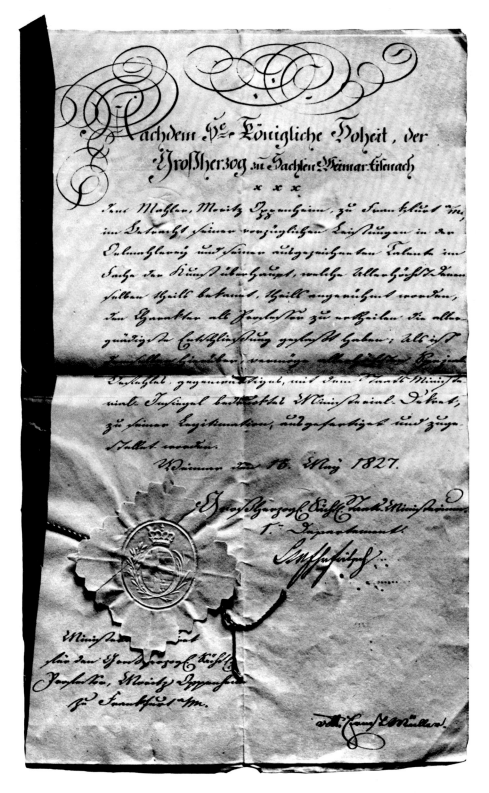

Biographical Dates

1800   Born in Hanau, near Frankfurt

1811   Abolition of the Hanau ghetto

1820/21   Studies in Munich and Paris

1821–25   Stay in Rome

1823   Trip to Naples. Sale of several paintings to Baron Carl Mayer von Rothschild

1825   Return to Germany via Bologna, Venice, Munich, etc. Settled in Frankfurt

1827   Visit to Weimar. Meeting with Goethe. Granted title of "Professor"

1828   Marriage to Adelheid Cleve from Hanau

1831   Heine's visit to Frankfurt. Oppenheim paints his portrait

1836   Death of wife. Commission to do the portraits of the five Rothschild brothers

1837   Trip to England

1839   Marriage to Fanny Goldschmidt from Frankfurt

1849   Confirmation of Oppenheim's application for Frankfurt citizenship after previous refusal

1851   Registration as a citizen with wife and six children from both marriages

1850's   Beginning of work on the "Pictures of Traditional Jewish Family Life"

1857   Nomination as honourary member of the Hanau Drawing Academy

1866   First publication of photographs of "Jewish Family Life"

1882   Death of the artist. Publication of "Jewish Family Life" in book form with commentary by Rabbi Leopold Stein

64

IV.12 "כל נדרי"
Eve of Yom Kippur

Correspondence of Oppenheim and Riesser

Moritz Oppenheim and Gabriel Riesser probably first met in 1835 when the Jewish community of Baden presented Oppenheim's painting *The Return of the Jewish Volunteer* to Gabriel Riesser in gratitude for his efforts to gain civil rights for the Jews. Riesser lived in Frankfurt between 1836 and 1840, during which time the two men became close friends. After Riesser moved to Hamburg they corresponded regularly and tried to visit each other as often as possible.

The two letters by Moritz Oppenheim to Gabriel Riesser and the seven letters by Gabriel Riesser to Moritz Oppenheim were found in Moritz Oppenheim's estate and are published here for the first time.

IV.13

Moritz Oppenheim to Gabriel Riesser
Frankfurt, 24 January 1841

Dearest Friend,

Partly because I don't know the exact address of Dr. Wolffson, and partly because I wanted to let you know as quickly as possible that I like to listen to your admonitions, I am sending you the enclosed letter for fast delivery. This counts you out of the game and clearly proves your innocence and mine.[1] While it remains unpardonable that I did not write directly to Dr. Wolffson a long time ago, all artists are known to be negligent correspondents and I wanted to show the committee how well they chose their man.

You have certainly heard enough of Crémieux, still I would like to tell you that we have commissioned a goblet for him, similar to yours but with some change. As for Montefiore, I have designed a table centre-piece to be executed in silver which pleased everybody very much in concept as well as in form (No. IV.9). My thoughtful pupil, Frau von Rothschild, would even have sent the drawing to the Paris committee for execution if their gift had not already been in preparation. As my drawing has been copied several times in order to be added to the subscription lists, I shall send you one as soon as possible.

I also promise you a free sketch of the painting which I am doing for Kley.[2] It is still very doubtful if we can execute the Montefiore gift with the abundance of figures that I designed. (It would cost 1200 to 1500 guilders.) People find it annoying to have to foot a bill again and again. Crémieux's banquet, his goblet, his children — I mean those in Cairo — have already cost a lot of money. Now, unfortunately, there are heavy floods which have to take precedence over Montefiore who is — in the *Aulem's* [the world's] opinion — more deserving than his French companion. So it is difficult to produce the necessary enthusiasm for paying.

I have to close for today as I have been interrupted and the letter should go by today's mail. Perhaps I shall drive first to Bockenheim[3] to exchange a word with Pauline. Goodbye, dearest friend. With affectionate kisses and regards,

Yours,
Oppenheim

[1] Oppenheim corresponded with Dr. Wolffson regarding the commission of a gift for Dr. Eduard Kley. There were differences about the time of delivery.
[2] Moses hands over leadership to Joshua (No. II.14, p. ע23)
[3] A suburb of Frankfurt where Riesser's sister lived.

Moritz Oppenheim to Gabriel Riesser
10 June 1842

Dearest friend,

Even though I did not write to you during the recent events and did not receive any letter from you, you were constantly in my thoughts. Each time I imagined the terrible disaster which has befallen Hamburg, I saw you as the main figure in the foreground, speaking and acting.[1] I waited for the return of your brother Raphael with the greatest impatience, to get more precise news about you and your dear ones. But when he arrived here I could barely exchange a few words with him because he was too busy, and I was just leaving for a trip to the Odenwald and the Neckar, in the company of some artists, to recover from a minor children's disease which I had never had before.

A few days ago I returned and was told in confidence that you committed yourself to annual repayments in order to obtain easier conditions for a small loan. My dearest friend, if you are now beset with burdens and worries which you did not have before, as I must assume, I beg you not to spare me if I can be of service to you. You know that I have participated in your *simchas* [joys], with all my heart and I want to prove to you that this is not less the case with your *zores* [troubles]. Should you once again have a request of this kind, my dear Riesser, please turn to me first. If it shall be beyond my circumstances to deal with the matter myself, I shall arrange it for you in a better way than has been the case in that recent affair. For example, since I was not approached (perhaps it was known that I was not in town) I should not really have heard about it. Even if you don't mind this, in my opinion it should have been avoided.

Forgive me, dear friend, when I speak to you of things which are probably disagreeable to you, without your having asked me. I would find it unnatural if I were to write to you now about indifferent things and it would be unworthy of my feelings for you, if, knowing that you are worried, I were to remain idle, without offering you my loyal services.

I am extremely sad to hear that the recent events have even influenced your health. Although I hear from your Raphael that you are feeling better again, thank God, I should be very grateful to you if you would assure me about this yourself, even if only with a few words. The best medicine is a trip. Come, dear Riesser, if you can, and recover in Bockenheim with relatives and friends who love and revere you dearly. And when in the evening you look from your window at the quiet, friendly Taunus, you will be refreshed and revived. Goodbye, dear good Riesser, and send me a few lines of good tidings.

Yours, Oppenheim

My dear ones are well, thank God, and my good wife sends you special greetings.

---

[1] Between May 5 and May 8, 1842, a devastating fire destroyed entire parts of Hamburg.

Gabriel Riesser to Moritz Oppenheim
Hamburg, 19 February 1842

Dear friend,

This time I don't want to let my thanks for your last precious, beautiful second letter cool off and once again invite a rebuke concerning my friendship, which indeed does not touch my polemics without reason. Quite sincerely, I want to convince you of the pleasure I derive from your precious letters, with their fun and their seriousness, their poetry and their prose. Then you will certainly provide me with such happy hours as often as you can. That you liked my printed letters pleases me the more, as my written ones fall so far short of yours in humour and richness. Therefore, I shall be very happy if, by the end of the year, you will somehow count my printed letters as credit in the tally of our correspondence. I value it all the more when my printed things are enjoyed by my friends as I understand, and I have always understood, how limited is the circle who reads them. It is not owing to the form (although I quite sincerely criticize it and did not want to defend it), and the title helps only in so far as it states the subject simply and honestly. It really is the subject which is to blame, and this is something I can't help as long as I am writing only on that particular subject. I don't understand that art of disguise whereby the reader has swallowed half a dose before he realizes what it is all about, the way one mixes children's bitter medicine with something sweet, a device that has been at times seriously suggested to me. And a title which does *not* describe the subject won't help for long and will hardly be more clever than the well-known proceedings of that Pollack with the silk stockings. So I must forget about this, be content if my pamphlets are read by friends and congenial co-religionists, and wait patiently for a time when they might reach beyond that circle. Your loving concern that I might make enemies even among the Jews, makes me grateful for your friendship. I must however confess that, happy as I have always been that my easy circumstances have permitted me to go my own way without attracting personal animosity, I have never intended to sacrifice my convictions so as to allow this convenient situation to continue. Nor did I ever imagine that I could retain it forever without a sacrifice. You can, however, be assured that the three-cornered hat has not spoilt me entirely and that I have not become unfaithful to my tolerance regarding religious opinions which differ from mine. In this case I was induced to take sides because there was an obvious aim to suppress *one* opinion. First, there were intrigues with the authorities to prohibit the new building of the "Tempelverein", which was needed for its existence.[1] When this failed, there was an attempt to prevent their public rejection of a public insult to their prayer book. This is intolerable. I do not fight all my life againt external pressure and injustice in order to bear it patiently internally. I can moreover assure you that I would take the same warm interest if similar oppression were exerted against the orthodox opinion in circumstances equally close to me. I have often taken the orthodox' part in my writings against the menace of violence. I don't know the Frankfurt situation well enough to judge if the so-called religious there are really wronged. Of this I would certainly not approve.

Your picture here is a permanent object of pleasure and admiration,[2] the slight delay entirely forgotten. You earned yourself such great popularity through your artistic accomplishment as well as your goodwill and charming conduct in the matter that you will be jubilantly received if you ever honour us with a visit. I therefore repeat my request that you come here for some time, perhaps next summer, and then I might return with you. I would like to see my relatives and friends from the Main again and I shall do it with God's help if I am not prevented by unforeseen obstacles.

And now goodbye, my dearest friend, heartfelt regards to your dear wife and children. Write me soon again, and remember me with love.

Yours,
Gabriel Riesser

[1] The Tempelverein refers to the one in Hamburg founded in 1817 by some 66 Jews with the intention of modernizing religious services through the introduction of a German sermon, choir, and organ. Under the leadership of its Prediger (Preacher) Eduard Kley, the Tempelverein survived the bitter controversy attending its birth to become an independent yet integral part of the Gemeinde. In 1841, controversy flared up anew when the Tempelverein, now led by Naphtali Frankfurter, moved to enlarge its building and to revise its prayerbook. This time, however, it faced the determined opposition of the renowned rabbinic authority of the Gemeinde, the Hakham Isaac Bernays. Riesser publicly supported the right of the Tempelverein to practice its beliefs and affiliated with it personally. Like the earlier confrontation, this one also quickly assumed international proportions. (I.S.)

[2] Refers to the painting *Moses Hands over Leadership to Joshua* (No. II.14). (See letter of Isaak Wolffson, head of the Hamburg congregation, to Moritz Oppenheim, dated November 30, 1841. Israel Museum.)

Gabriel Riesser to Moritz Oppenheim
Hamburg, 12 June 1843

Dearest friend,

First of all a thousand thanks for your last precious letter which made me very happy. I honestly intended to answer immediately but a thousand different impediments, tasks of all sorts, visits from abroad, etc., reduced my intention to nought. Only now I come to write. I shall give the letter to my brother who will return to Bockenheim to-morrow. I owe you further thanks for the kind delivery of the engraving of your Noah which I received some weeks ago via Magdeburg through Dr. Philippson.[1] Quite some time ago I was already attracted to this engraving, which was displayed in the window of an art shop, and I acquired it. Now, through your kindness, being the owner of a duplicate, I gave the older one to a lady who wanted it and kept yours. So thanks are due to you, twicefold.

Now my warmest congratulations on the beautiful hope conveyed in your letter. I look forward with the greatest feeling to its happy fulfillment. If it will take long enough, and were I of a less heretic disposition, and in case I come to Frankfurt, as I hope with all my heart and some certainty to do, I could perhaps be godfather. This brings me to the main contents of your letter, which delighted me as a genuine outburst of your whole way of thinking and perceiving, particularly as some of the things you wrote are based on misunderstandings. Since you were told of my letter to the Reform-Committee, it would have been only fair had it been shown to you. If you are concerned about it, I would like you to use my name to ask one of the gentlemen for information, which in that case can't be refused. You would learn from it that my opinions are indeed remote from yours but no remoter from those of the gentlemen to whom I wrote, and that I have no intention whatsoever of placing myself *at the head* of any theological movement.[2] I, for my part, would not oppose the unchanged reprinting of the letter but this will certainly not happen; first because of the dissension of opinions and secondly because it contains a remark about Christianity which could not be printed. Moreover, I would gladly have a good quarrel with the various theological parties, particularly with the orthodox of all shades and soon also with the enlightened ones, as I have never looked for approval or cooperation in that field.

As far as circumcision is concerned, I have never denied my personal aversion to this ceremony as a religious act. This aversion, however, is nobody's business but my own. I only maintain that those who don't believe in it and see nothing more in it than a barbarious custom, should also be free to abstain from it in the same way as they do not keep the Sabbath and the dietary laws. It is lamentable to boast of reforms while one gives in out of indolence or stupidity to silly and probably imaginary police coercion on that one point. Those, however, to whom circumcision is a holy act, should continue to practice it in God's name. Their right shall remain unviolated and any restriction of their civil rights in this respect remains an abominable wrong; nobody ever thought of legal preference for the reform Jews, so at least I have been assured, otherwise let the devil take the reformers. But those orthodox gentlemen should also not have the impudence to impede the freedom of those whose opinions differ from theirs, or hide behind the police to exercise shameful pressure. For a generation, numerous Jewish family heads — in Frankfurt only a few but hundreds in Berlin and Hamburg — had their children baptized while remaining Jews themselves. No Rabbi had the courage to open his mouth against this insolent, all religion-defying procedure; nobody thought of denying those fathers their Jewishness because in so doing they would have provoked the authorities who favour this disgraceful procedure, and with whom they like to be on good terms. If now a Jewish father does not want his child to be baptized but also does not like a ceremony which is against his feelings, and if then this rabble of rabbis gets suddenly courageous and starts screaming, running to the police hoping to find help from an authority bearing ill-will to any freedom, this is a vile action which should be crushed underfoot. I do indeed strongly support the principle of paternal freedom and value it as much as emancipation. I shall relentlessly fight all opposition against it. Besides, dear friend, don't worry that I shall meddle too much with theological debates for which I am not at all disposed.

Give my warmest regards to our friend Ferdinand Hiller[4] and tell him that I received his letter through Miss Captain. I am looking forward to making her acquaintance and would be even more pleased if I could oblige her. But so far I have had no luck. On my first visit, I did not find her at home. On the second, she was unwell and could not receive me. I shall, however, try today for the third time and hope to find her convalescing. She is, by the way, in no need of protection from the critics as she had great and general applause at her first appearance in the "Huguenots".

Have you now learned who Dr. Wihl's *meschuggene* bride is? I am looking forward with pleasure to your large painting for the Polish Jews. Shall I see it finished when I come to Frankfurt in August?

My warmest greetings to your dear wife and children. I need not tell you with how much pleasure I am looking forward to our reunion. I also know that this finds an echo in your heart. But don't let yourself be deterred by this from writing to me once again before we meet.

Goodbye and remember with love,
your Gabriel Riesser

---

[1] Dr. Ludwig Philippson, preacher in Magdeburg and a representative of the Reform movement. Founder of the *Allgemeine Zeitung des Judentums*

[2] The Reformverein in Frankfurt represented an extreme expression of early religious reform on the part of young Jewish intellectuals alienated from traditional Judaism and frustrated in their professional aspirations. Organized in the fall of 1842 by Theodor Creizenach, a gifted teacher at the Philanthropin, the Reformverein never grew beyond a few dozen members. Nevertheless, it gained national notoriety for a brief time, with a declaration in 1843 disassociating its members from Rabbinic Judaism and the messianic hope, while asserting a belief in the potential of Mosaicism for unlimited development. Despite the efforts of his close friend Moritz Abraham Stern, who refused to advance his own academic career at Göttingen by conversion, Gabriel Riesser would not lend his name to the Verein or its declaration for a variety of reasons (I.S.)

[3] In the early 1840's Frankfurt became the scene of a bitter debate over the status of an uncircumcised male child born of Jewish parents. Taking advantage of an ambiguity in the government regulation on the practice of circumcision, members of the Reformverein contended that birth and not the rite determined the Jewishness of the child. Though the Reformverein eventually dropped a pronouncement to that effect from its public declaration, the aged rabbi of the community, Solomon Abraham Trier, proceeded to solicit and publish some 28 opinions from rabbis across central Europe uniformly denouncing the claim that circumcision was religiously dispensable. Riesser, who fully shared the repugnance of the Reformverein on the matter of circumcision, rebuked it for having dropped the subject in its final declaration (I.S.)

[4] The composer and conductor Ferdinand Hiller (No. I.16, p. E18).

Gabriel Riesser to Moritz Oppenheim
Hamburg, 9 January 1844

My dear best friend,

I intended to write to you, ever since my return from this summer's beautiful and enjoyable trip, but the constant heavy demands on my time did not permit me to do so. Now, however, I find I have a compelling cause — to send warm congratulations to you and your dear wife on the occasion of the birth of your twins. May God let both children thrive and grow up to your joy and may you live to see much pleasure from them.

I hear that the abundance of blessing caused you some worry at first about the well-being of the children. I hope that by now you are completely assured and that both children and your dear wife are feeling fine.

Shortly after my arrival, around the middle of October, I sent our large painting to the Luderitz art firm in Berlin.[1] I also wrote, but did not get an answer, nor did I actually expect one. However I hope that *you* have news about the work's progress and beg you urgently to let me know about it. I don't deny that I am longing to have the picture back again and hope that there won't be any unnecessary delay with the execution of the work.

As to our other picture, my portrait, I intended to have it multiplied *too,* partly in response to your request made when we were together this summer.[2] I have not given up the intention but I confess that I am less inclined to think about things like that and set them to work in the midst of the daily bustle which surrounds me throughout the year, than I was in the festive mood of the trip. I remember how you used to say on certain occasions in the old days in Frankfurt that I would have less pleasure and eagerness for this or that, for example, learning Hebrew grammar, if my life were not so entirely without worries.[3] I find this now confirmed since I also have worries or at least business commitments.[4] Among the things which tend to be pushed back first under these circumstances is just the arrangement for a copy of my picture. Therefore I prefer to wait for a pleasant stimulus to give me a taste for it. However, non-seriously as I obviously take the realization of my intentions or even, if you like, the keeping of my promises, I do count on you to keep yours faithfully. Therefore I don't hesitate to remind and ask you to send me the caricature of the "Reformverein" which you promised me as a gift. I also permit you to make use of me as the innocent victim in your drawing. In addition and as comment to the drawing you must also let me have your latest reflections and jokes about this very important matter which has already produced a second circular for the waiting world...

Now goodbye for today, my dear friend, my warmest regards and congratulations to your dear wife and children. I beg you urgently to write very very soon

to your
Gabriel Riesser

[1] *The Return of the Volunteer* (No. III.9, p. ע24), of which a print was to be produced.
[2] The portrait was eventually made into a print (No. I.15, p. ע38).
[3] Riesser and Oppenheim studied Hebrew together with Dr. Hochstädter while Riesser lived in Bockenheim near Frankfurt during the years 1836–1840. (M. Isler, *Gabriel Riesser's Leben nebst Mitteilungen aus seinen Briefen,* Frankfurt am Main, Leipzig, 1867)
[4] In 1840 Riesser opened a notary's office in Hamburg.

Gabriel Riesser to Moritz Oppenheim
Hamburg, 6th of March, 1844

Dearest friend,

Your dear letter pleased me very much. I sincerely beg you to let it soon be followed by another one. My palate will certainly not be dulled by more frequent repetitions of this kind. First of all I have to tell you today that I wrote to the Luderitz art-shop immediately after the receipt of your letter on February 17th, asking most urgently for instant information about the state of the work.[1] Nevertheless I have been without any news from these people until today. Such behaviour is in any case impertinent and irresponsible. I ask you, therefore, to write me immediately what you think about it and whether you have perhaps heard something in the meantime. I shall only wait for your response in order to write to these people once again and in a way that will certainly make them answer.

I was very happy with your report about the thriving of your twins. How lovely it would be if I were not too old to become your son-in-law. I would gain youth and a charming wife all at the same time. May God let the children continue to grow happily to the joy of their parents.

Once again I ask you for that most precious product of the Reformverein, namely the caricature, and I count on you to keep your promise. My brother has frequent opportunities to send it to Hamburg: just give him the sheet and he will take care of it. I shall use it in the most discreet way and enjoy it only in secrecy.

The rumour you mention that Stein won't accept the rabbinate has since gained ground, but I have no direct information. Is there anything in it?

Your intimation about me to Dr. Wihl is nearly a bit too much; be careful that my love for truth will not spoil your fun one day. But I am really pleased that his *Schtuss* (nonsense) preserves him so well.

My warmest greetings to you dear wife and children as well as your brother S.D.[2] and all the others whose regards you did not deliver to me. Thanks to you and our friend Juda Schmuhl for the information about the Frankfurt brides. Do you want to frighten me that none will remain for me and thereby push me towards a desperate step?

Maas and his wife are well and send you their regards. You will sense from this letter that my time is scarce today. Next time I shall answer you in more detail; give me an occasion for it soon. For today goodbye, dearest friend, and keep your love for your

Gabriel Riesser

[1] Preparation of a lithograph for the *Return of the Volunteer*
[2] Simon Daniel, Oppenheim's older brother

Gabriel Riesser to Moritz Oppenheim
Hamburg, 9 May 1844

Dearest friend,

I can finally report to you about our picture.[1] My letter to Mr. Josephy in February remained unanswered for nearly two months. I lost the last remnant of my patience and wrote about four weeks ago to Veit in Berlin, asking him to demand a definitive answer from Mr. Josephy and — if it was impossible to get it voluntarily — to deliver the matter over to an advocate. Following this I heard nothing for quite a long time until, finally, I received a letter from Mr. Josephy, on the third of this month, in which he apologized for his long silence, declaring that he had wanted to give me a definitive date for the return of the picture. This he could not do earlier, because when my letter was received the work had only begun and the lithographer had to finish another job first. He promised that the work will definitely be finished in four weeks and to our satisfaction. He did not mention that he should send a proof to you. If you think that he should be reminded of this, please be good enough to write him directly. I don't want any more correspondence with the man. In any case he is a boor not to have answered me before. But he still might be a respectable man and the picture might turn out alright.

I thank you most warmly for the funny drawing which I got through your brother. I greatly enjoyed it again, remembering many happy moments from our last meeting. I happily chatted away several hours with your brother S.D. and enjoyed his good humour.

The best part of that peace-union of which you read in the newspapers is its statutes. Otherwise there is not much to it. The founders are partly fools and partly children. Some respectable people who were foolish enough to join at the start, soon quit. I believe that it has currently ceased to exist — for the second time. I don't understand what purpose a special union can have unless it makes an impression through the personalities of its founders.

Is Hiller in Frankfurt and how is he? How did he like it in Leipzig? My warmest regards for your dear wife and children and your brother S.D. Maas and his wife send friendly regards. Goodbye dear friend, and please me soon with a letter.

Your Gabriel Riesser

[1] *The Return of the Volunteer* (No. III.9)

Gabriel Rieser to Moritz Oppenheim
Hamburg, 20 December 1844

Dearest friend,

A thousand thanks for your beautiful, merry, witty letter which caused me the greatest pleasure as proof of your affectionate, forbearing love, since I still owed you an answer to a previous letter (having sent you only a quite bad daguerreotype instead), and for its splendid contents — I mean of your letter. You might ask why I concealed this pleasure so long and did not answer you before, but never doubt its genuineness and believe me that I deserve the greatest indulgence this time. Many demands are made on me and I have very little free time. Unfortunately I must therefore also postpone the execution of various literary plans until better times. I can't deny that this dependence on matters which can have no other interest for me than that of daily necessity, this restriction on the free use of my energies to little or nothing, all this sometimes deeply annoys me. But I don't want to complain. I have enjoyed the pleasure of a free existence and unrestrained activity for a longer time than most, and I have not given up hope to return to it. This remains my ideal and makes things dispensable for me which to others seem indispensable. When that time arrives and if we won't be near enough by then to make writing unnecessary, I shall write you more frequently. For the moment at least, I intend and hope to glide once again like a bird in the air above all worries and bondages some time next summer; that means — I intend to travel. This summer I was solid enough to be satisfied with a one-week trip to the North Sea island of Helgoland which, by the way, is most attractive and charming. But next year I hope to compensate myself and visit you in South Germany, my second home, again, and to extend the trip to Switzerland. Last year's trip had a wonderfully refreshing and reviving effect on me, more than in former years when I also felt unrestrained at home. I still remember that beautiful time with delight and look forward to its return next year.

I could have assumed that you would not be entirely pleased with the lithograph of our picture, although, as you know, I am not in the least a connoisseur.[1] Nevertheless, some of our friends here and abroad were quite pleased with it. The lithographer who was commissioned to do the job is known as the best in Berlin. I have been blaming myself already for a long time that I have not yet complied with your repeatedly expressed desire to have your portrait lithographed. It continues to be the subject of pleasure and admiration for my friends here, but I confess that I find it very difficult to make the preparatory arrangements, unless I am forced by an outward cause or find myself in a particularly festive mood. Even to think about it in the course of daily events seems to me — and I can't get away from the thought — a bit *beschtusst* (silly).

Actually I wanted to tell you something which might amuse you, to convey in this letter something of the quality which make yours so charming. But having unsuccessfully tackled this endeavour I feel again how much I lack the talent to concoct a spicy story out of everyday occurrences the way you can, as much as I would have liked to regale you once in return. One point to your advantage is the fact that my surroundings are unfamiliar to you while yours are so well known to me, including the writers, reformers, rabbis and fools. But even if the situation were reversed I could not equal you. I only know how to meditate, not to tell a story; in letters the first becomes easily boring, the second never.

I delivered your message to Dr. Kley. He was glad to hear that you received his consignment. A direct answer from you would have pleased him even more. The rumour of the engagement of Kley's foster-daughter to Louis Simon, which has been verified in the meantime, became funnily enough first known to me through your letter. When I asked for information I learned that people had been talking about it already for a long time, and soon afterwards I read it in the paper. Upon this I went to congratulate them, using the occasion to deliver your message, and looked once again at your picture.[2] The bridegroom's position here does not yet seem to be a secure one.

My dear mother, sisters and brothers are well and send you regards. My poor sisters-in-law, Pauline and Sophie, suffered again a painful loss through the death of their close relative Dr. Gerson, one of Hamburg's outstanding medical doctors and probably the most popular of all.

My sincerest regards to your dear wife and children. Goodbye my dear, best friend. If you want to cause me a very pleasant hour write quite soon again to

Gabriel Riesser
who sincerely loves you

[1] *The Return of the Volunteer* (III.9)
[2] *Moses Hands over Leadership to Joshua* (No. II.14).

Gabriel Riesser to Moritz Oppenheim
Hamburg, 2 May 1855

Sincerest thanks, my dear friend, for your very kind letter of *Erev Pesach*. I received it in fact shortly after my birthday but it gave me as much pleasure as if I had received it on the very day. I also heartily thank you for the enclosed little drawing which, I guess, should give me the desire to celebrate my birthday in future with wife and children. It will nicely enlarge my small but valuable collection of works of art, all of which are endowed with the charming if slightly one-sided quality of having been made by you. It is a fine thing that there are birthdays once a year which force us to put into words our faithful remembrance of distant friends which we carry all year round in our hearts. I shall shortly find out from the author of your biography the date of your birthday which I have shamefully forgotten, in order to return your great kindness in future.

I was glad to hear that you were in Paris and derived pleasure from your nephew Heinrich. Since I intend to go for a very short time to Paris in July, let me know through my sister where I can find your nephew. On the same trip I shall also have the pleasure of seeing you and your dear ones, God willing, only towards the end of the trip, if all goes according to plan. I intend to leave here during the first half of July, to stay for a short while in London, to have a glance at the Paris exhibition,[1] and then to go via Lyon to Geneva to spend some weeks in the high mountains of Switzerland and Savoy. So I shall come to Frankfurt only at the end of August, at which time I hope to find you there. How wonderful it would be if we could meet before on the way. Don't you feel like making a little trip to Switzerland in August? We could rendezvous at any point you like between the Montblanc and the Jungfrau, provided that it can be reached every day by an average pedestrian and bad horseman. It could be at the Lake of Geneva, in Berne or Basle where we met three years ago, and I shall promptly keep it. Think the matter over and give me a positive answer.

I also thank you for the kind reports which you sent me about my big and small nieces and nephews. I am looking forward to seeing them all in a few months and enjoying their progress.

My sincerest greetings to your dear wife and all the dear children and also many thanks for the good wishes and your wife's tart, which I imagine tasted delicious. All that remains to be said, I postpone for early communication by word of mouth in Switzerland or in Frankfurt.

I remain your much loving
Gabriel Riesser

[1] The World Fair of 1855

Catalogue

Measurements are given in cm., height preceeding width

(*) Asterisks indicate that photographs of these items appear in catalogue.

I Portraits

II Biblical and Mythological Subjects

III Jewish Family Life and Other Genre Scenes

IV Miscellaneous

V Documentary Material

I.Portraits

I.1*
Self-portrait, c. 1819
Pencil, pen and sepia on paper
18×12.5
Israel Museum; Bequest Alfred N. Oppenheim, London, Inv. No. P 541–8–58
Probably drawn before Oppenheim left Hanau to continue his studies at the Munich Academy. Exhibited in 1936 at the Jewish Museum, Berlin, in a show called "Our Ancestors" (See Hermann Simon, "Moritz Daniel Oppenheim und das Berliner Jüdische Museum", *Nachrichtenblatt des Verbandes der jüdischen Gemeinden in der D.D.R.*, March 1982, p. 4 ff.)

I.2*
Self-portrait, 1822
Oil on canvas
44×36.5
Israel Museum; Gift of Dr. Arthur Kauffmann, London, through the British Friends of the Art Museums of Israel, 1983, Inv. No. 86.83

I.3*
The Painter Friedrich Müller, 1822–1823
Pencil (sketchbook page)
Israel Museum; Bequest of Alfred N. Oppenheim, London, Inv. No. P 528–8–58
Friedrich Müller (1801–1889) belonged to Oppenheim's circle of friends during his stay in Rome. In 1832, he was appointed professor at the Art Academy of Cassel and eventually became the director of the Institute.
This is a typical example of the delicate pencil portraits in which the "Nazarenes" excelled. It was a common habit among the friends to portray each other and numerous likenesses of this kind have been preserved.
Oppenheim wrote in his *Reminiscences* (p. 50): "I spent one summer in the Albanian mountains where I stayed with some friends, von Hempel from Vienna and F. Müller from Cassel... Müller was a devout Christian, a young German with an old-fashioned German coat and long blond hair".

I.4
Luisa
Oil on paper, mounted on cardboard
27.5×23.5
Dated February 1824
Israel Museum; Bequest Alfred N. Oppenheim, London, Inv. No. P. 339–8–58
This and the following study show Oppenheim's choice of models from his Roman environment.

I.5*

Franzesco Bevelaqua
Oil on paper, mounted on cardboard
30.5×23.5
Dated 16.1.1825 Roma
Israel Museum; Bequest Alfred N. Oppenheim, London, Inv. No. P 340–8–58

I.6

Portrait of a Young Lady
Oil on canvas
28×23
Signed and dated 1825
Israel Museum; Inv. No. 506/33
Oppenheim left Rome in the spring of 1825 and travelled in slow stages back to Frankfurt. He stopped over in Venice where he stayed with a friend from Munich whose wife he painted several times (*Reminiscences*, p. 70). There is no evidence that this particular portrait represents the young Venetian lady, but it shows, as does the following one, the kind of fashionable society portraits with which Oppenheim achieved his first successes.

I.7*

Portrait of a Young Lady (Baroness Rothschild ?)
Oil on canvas
31.7×23.6
Signed with initials and dated 1825
Historisches Museum, Frankfurt a/M; Inv. No. B 68:9
The young lady is traditionally considered to be a member of the Rothschild family.
The mirror flanked by two sphinxes is a typical example of the Empire furniture with Egyptian motifs which became fashionable in Europe after Napoleon's Egyptian campaign.

I.8

Portrait of a Young Lady, 1825
Pencil
42×20
Israel Museum; Bequest Alfred N. Oppenheim, London, Inv. No. P 679–8–58
Preparatory drawing for No. I.7

I.9*

The Brothers Jung and their Educator Ackermann
Oil on canvas
101×117
Signed and dated 1826
Wallraf-Richartz-Museum, Cologne; Inv. No. WRM 1108
The brothers Jung were sons of a Rotterdam shipowner who were educated in the house of the well-known Frankfurt pedagogue Heinrich Wilhelm Ackermann. The boy in the middle is Georg Jung, later a member of the Frankfurt National Assembly of 1848. The two other brothers, Gottfried and Johann, were both consuls of the Netherlands in Heidelberg (see *Querschnitt* 1921, pp. 236–237). The painting's simple austerity reminds one of early German portraiture which the Nazarenes admired and emulated.

I.10*

Ludwig Börne, 1827
Oil on canvas
121×90
Israel Museum; Received from Jewish Restoration Successor Organization (JRSO), Inv. No. 506/50.
Ludwig Börne (1786–1837) was born in Frankfurt as Löb Baruch. Writer and theatre critic, Börne excelled in biting political journalism. In 1818 he converted to Protestantism. After the revolution of 1830 he lived in Paris. A friend of Heine's in his youth, he became later one of the poet's bitterest enemies.
Painted only one year after *The Brothers Jung and their Educator*, the painting shows a remarkable change of style. An atmosphere of ease and relaxation has replaced the ascetic posture of the earlier picture, an indication of Oppenheim's turn towards Biedermeier art.
"I painted Börne's portrait. He sent me the fee with some witty lines, the end of which I remember well. It says: 'There is a curse in money, you should thank me that I cursed you so modestly" (*Reminiscences*, p. 92).

I.11*

Dr. med. Salomon Stiebel as Master of the Chair, 1827–1828
Oil on canvas
104×84
Historisches Museum, Frankfurt a/M; Inv. No. B 938
Dr. Stiebel headed the surgical department of the Jewish hospital in Frankfurt and was co-founder of the city's medical society. He converted to Christianity and became Privy Counsellor.
"In his later writings (Ludwig Börne, *Eine Denkschrift*, 1840) Heine mentioned, while talking about his stay in Frankfurt, the good *Shalet* which he got on Sabbath at Dr. Stiebel's house... He certainly calculated with some malice that this would annoy the newly-baptized Stiebel. Once speaking about it with Dr. Stiebel, I was able to verify that Heine's arrow had not missed its mark" (*Reminiscences*, p. 92).

I.12*
Heinrich Heine
Oil on paper, mounted on canvas
43×34
Signed and dated 1831
Kunsthalle Hamburg; Bequest J.H.W. Campe, Inv. No. 1162
In May 1831 Heine spent several days in Frankfurt on which occasion Oppenheim painted his portrait. Heine apparently liked it as he asked Oppenheim twenty years later to put it at the disposal of his friend and publisher Julius Campe (*Reminiscences,* p. 91). Still later Oppenheim exchanged the portrait with Campe for a selection of books published by Hoffmann and Campe (Letter No. V.20).

I.13*
Baruch Eschwege as a Rifleman Volunteer
Oil on canvas
107.5×82.5
Historisches Museum, Frankfurt a/M; Inv. No. B 1437

I.14
Baron Lionel Nathan de Rothschild
Oil on canvas
50.2×38.1
Signed and dated 1835
National Portrait Gallery, London; Inv. No. 3838
In the second half of the thirties, Oppenheim painted a series of portraits of the Rothschild family. Lionel was the son of Nathan Rothschild, founder of the English branch of the international banking house. The portrait was probably painted in the autumn of 1835 when Lionel was staying with his uncle in Frankfurt. The visit resulted in Lionel's engagement to his cousin Charlotte, daughter of Oppenheim's patron from Naples, Carl Mayer von Rothschild.
Lionel was elected a member of parliament but owing to his refusal to take the oath on the New Testament was at first not allowed to take his seat. He was admitted after re-election.

I.15*
Gabriel Riesser
Steel engraving after a painting by Moritz Oppenheim
23×19.5
Israel Museum; Inv. No. 76–1–40
Gabriel Riesser (1806–1863), a leading advocate of German Jewish emancipation, was a close friend of Oppenheim's. He studied law but, being a Jew, was refused admittance to the bar. Between 1836–1840 Riesser lived in Frankfurt. In 1840 he got permission to open a notary's office in his home town, Hamburg. In 1848 he was elected to the Preliminary Parliament in Frankfurt and became Vice-President of the National Assembly. From 1860 Riesser served as judge of the Hamburg High Court. Riesser belonged to the moderate wing of the Jewish reform movement and was a member of the Hamburg Temple. Between 1838–1840 Oppenheim painted Riesser's portrait three times.

I.16*
The Musician Ferdinand Hiller, c. 1840
Oil on canvas
96.5×81
Historisches Museum, Frankfurt a/M; Inv. No. B 1404
Hiller was a friend of Oppenheim's. He was born in Frankfurt as the son of Isaak Hildesheim, who changed his name to Justus Hiller. He studied music under Johann Nepomuk Hummel in Weimar and became conductor of the orchestras of Leipzig and Cologne.

I.17*
Portrait of a Girl
Watercolour on paper
20×16
Signed with initials and dated 1840
The Jewish Museum, New York, gift of Dr. Harry G. Friedman, Inv. No. F 45045

I.18*
Fanny Hensel-Mendelssohn
Oil on canvas
42×32.5
Signed with initials and dated 1842
Collection Mr. Daniel Friedenberg, Greenwich, Connecticut
Fanny Hensel was Felix Mendelssohn-Bartholdy's older sister and a gifted musician in her own right. Her husband, the painter Wilhelm Hensel, became friendly with Oppenheim when both stayed in Rome in the early twenties.

I.19*
Gudula (Gutle) von Rothschild, 1849
Pencil
17×13.5
Israel Museum; Bequest Alfred N. Oppenheim, London, Inv. No. P 542–8–58
Gudula von Rothschild (1753–1849) was the wife of Mayer Amschel Rothschild and the mother of the five brothers who established the international House of Rothschild. During her lifetime her house in the Frankfurt Jews' Street remained the centre of the entire family. Oppenheim painted the nonagenarian shortly before her death in 1849. The whereabouts of the painting, formerly in the Rothschild Museum in Frankfurt, are unknown. The drawing was probably done in preparation for the painting.

I.20*
Baron Adolph von Rothschild
Oil on canvas
81×64
Signed and dated 1851
Israel Museum; Received from Jewish Restoration Successor Organization (JRSO), Inv. No. M 1823–11–52
Adolph, one of the sons of Oppenheim's first patron Carl Mayer von Rothschild of Naples, headed the Italian branch of the firm, after his father's return to Frankfurt until its dissolution in 1861. He wears the Neapolitan order for civil merit.

II.Biblical and Mythological Subjects

II.1*

Amor Bending the Club of Hercules, 1820
Oil on canvas
70×59
Historisches Museum, Hanau; Inv. No. B 1595
Oppenheim's earliest known oil painting. The picture is inscribed on the back of the frame as follows: "Moritz Oppenheim, student of the Hanau Academy, has invented this picture and painted it in 1820 — The Academy directorate bought it from him — is the property of the Academy of Hanau, 1820".

II.2

Amor Bending the Club of Hercules, c. 1820
Pencil
13×11.5
Israel Museum; Bequest Alfred N. Oppenheim, London, Inv. No. P 589–8–58
Preparatory drawing for a print after the painting (No. II.1). Oppenheim, like many artists before and after him, used to promote his paintings by reproducing them through one of the graphic processes. This might have been his first trial in this field.

II.3*

Abraham and his Family, c. 1822
Oil on cardboard
18.5×15.5
Israel Museum; Bequest Alfred N. Oppenheim, London, Inv. No. P 336–8–58
Sketch for a painting which Oppenheim sold to Baron Carl Mayer von Rothschild
"In Naples I was kindly received in the house of the Rothschild family. I frequently stayed overnight in the beautiful villa on Capo di Monte. Baron Carl Mayer von Rothschild bought the first three pictures I had painted in Rome. They represented 'Abraham's Family', 'Abraham's Sacrifice' and 'Jacob's Blessing'" (*Reminiscences*, p. 44).

II.4*   △
Moses and Aaron before Pharaoh
Pencil
24.5×31.5
Dated May 1822
Israel Museum; Bequest Alfred N. Oppenheim, London, Inv. No. P 583–8–58
There is no record of any painting of this particular subject, although Oppenheim painted many biblical subjects during his stay in Rome, under the influence of the Nazarenes.

II.5*
The Return of the Prodigal Son
Lithograph by L'Allemand after a lost painting of 1823
19×24
Israel Museum; Bequest Alfred N. Oppenheim, London, Inv. No. P 694–8–58
"The Academy St. Lucca announced a contest with 'The Return of the Prodigal Son' as its subject... I delivered the picture at the Academy St. Lucca, having painted it in Naples" (*Reminiscences*, pp. 44, 48).

II.6*
Christ and the Woman of Samaria, 1823
Pencil
18.3×15
Israel Museum; Bequest Alfred N. Oppenheim, London, Inv. No. P 578–8–58
"I was invited to do a trial sketch (in connection with the contest of the Academy St. Lucca). I had to produce a drawing of 'Christ and the woman of Samaria'... My work was awarded the prize, but when my name was announced, and it was understood that I was a German and a Jew, the jury wanted to transfer the prize to an Italian, but Thorvaldsen (the famous Danish sculptor) who was a member of the jury, stood up for me. Although he did not succeed in getting the prize awarded to me, he at least prevented it from going to somebody else" (*Reminiscences*, pp. 48/49).

II.7*
The Return of the Young Tobias
Oil on wood
64.1×76.5
Signed and dated Florence, 1823
Thorvaldsen Museum, Copenhagen; Inv. No. B 135
"The city of Florence, her marvellous location, her monuments, churches and museums, and particularly her wealth of exquisite paintings enthused me... I painted there the *Return of the Young Tobias*, a picture which Thorvaldsen liked so much that he bought it from me, paid well for it in spite of his thriftiness, and put it up as a major piece among the paintings he had bought and collected" (*Reminiscences*, p. 60).
This and the following pictures show the full extent of the Nazarenes' influence on Oppenheim's paintings of the Roman period, with their sharply outlined forms and the soulful expressions of the figures.

II.8*
Sara Leads Hagar to Abraham, c. 1824
Oil on paper
20.8×16.2
Israel Museum; Bequest Alfred N. Oppenheim, London, Inv. No. P 356–8–58

II.9*
The Dismissal of Hagar
Oil on canvas
88×68.5
Signed and dated Rome 1824
Kunstmuseum, Düsseldorf, Inv. No. 4274.
"Thorvaldsen recommended me wherever he could. (Through him) I was frequently invited to Count Ingenheim, half-brother of the King of Prussia and the Electress of Hesse. The latter commissioned me through the Count to paint the *Dismissal of Hagar* which I saw later in the castle of Fulda" (*Reminiscences*, p. 49). Count Ingenheim had ordered this painting for himself but renounced his claim on behalf of the Electress. Instead, Oppenheim painted *Hagar in the Desert* for him. (Letter, Count Ingenheim to Moritz Oppenheim, No. V.14.1).
A replica of the painting, dated 1826, is in the collection of the Städel Art Institute, Frankfurt a/M.

II.10*
Susanna and the Elders
Lithograph by F.C. Vogel after a lost painting of 1824
53×39
Dated 1829
Israel Museum; Bequest Alfred N. Oppenheim, London, Inv. No. P 695–8–58
"I painted for him (Carl Mayer von Rothschild) *Susanna and the Elders*, a picture which at the time caused a sensation in Rome. In the Roman papers it was called a jewel, *gioiella*. Baron von Rothschild was so pleased that he voluntarily raised the promised fee of 25 Louisdor" (*Reminiscences*, p. 44).

II.11*   ▷
Eliezer and Rebecca
Pencil on tracing paper
22.5×18.5
Israel Museum; Bequest Alfred N. Oppenheim, London, Inv. No. P 569–8–58
Preparatory drawing for a print. No painting of this subject is known.

II.12*
Ruth and Boaz
Ink, brush and pen, heightened with white
25.5×33
Signed with initials
Israel Museum; Gift of Mr. Raphael Rosenberg, London, Inv. No. M 474–2–55

II.13*
The Good Samaritan
Brush, ink and wash, heightened with white
32.5×25
Signed with initials
Israel Museum; Bequest Alfred N. Oppenheim, London, Inv. No. P 539–8–58
Most of Oppenheim's biblical subjects were conceived in the twenties and thirties. This drawing dates from the end of this period when the artist had already abandoned the restrained linear style of the Roman years.

II.14*
Moses Hands over Leadership to Joshua
Oil on canvas
101×121.5
Signed and dated 1841
Historisches Museum, Hanau, Inv. No. B 8680
The painting was commissioned in 1840 as a gift for Dr. Eduard Kley, preacher at the Hamburg Temple and director of the Free School there, on the occasion of the school's 25th anniversary. Dr. Kley was a leading figure of the Hamburg reform movement. The bequest contains several letters by Dr. Isaak Wolffson, president of the congregation, addressed to Oppenheim and dealing with this commission (No. V.17). The letters show the importance attached to the choice of the subject in making the gift a meaningful one. It refers in a symbolic way to Dr. Kley's last sermon and indicates the literary approach to the visual arts typical of this time.
The picture with its obvious reminiscences of Italian paintings and Nazarene mannerisms is an example of the eclecticism which marks some of Oppenheim's works.

III. Jewish Family Life and Other Genre Scenes

III.1
Domenica dopo pranzo (Sunday after dinner)
Oil on paper
9.5×10.2
Israel Museum, Bequest Alfred N. Oppenheim, London, Inv. No. P 344–8–58

III.2*
Crossing of the Bay of Naples
Oil on canvas
95×127
Signed and dated 1842
Historisches Museum, Hanau, Inv. No. B 7612
Painting the Italian scene from memory, Oppenheim falls back into the romantic mood of the Roman Period. The picture shows the influence of Ludwig Richter's *Crossing at the Schreckenstein* which Oppenheim had certainly seen. Richter and Oppenheim lived in Rome at the same time and doubtlessly knew each other. (See Margaret Prinzessin von Isenburg, "Zu drei Gemälden von Moritz Oppenheim", *Hanauer Geschichtsblätter*, 20 [1965], pp. 317–322).

III.3
The Painter and his Model
Oil on panel
24×19.5
Signed with initials and dated 1840
Collection of Mrs. Martha Bamberger, Jerusalem
As in the preceding picture, memories from Italy play a distinct role here.

III.4*
Mignon and the Harpist, 1849
(A theme from Goethe's *Wilhelm Meister*)
Oil on canvas
56×50
The Jewish Museum, New York; Gift of Mr. Karl Whinfield, Inv. No. JM 34–65
Subjects from the works of Goethe and Shakespeare appear frequently in the late 'forties and 'fifties. Oppenheim also created portraits of the two poets, published as lithographs executed by Alfred Rethel.

III.5*
Lavater and Lessing Visit Moses Mendelssohn
Oil on canvas
58×70
Signed and dated 1856
Judah L. Magnes Memorial Museum, Berkeley, Ca. Gift of Vernon Stroud, Eva Linker, Gerta Nathan and Ilse Feiger, in memory of Frederick Straus, Inv. No. 75.18
Johann Caspar Lavater, a Swiss clergyman who was famous for his studies in the field of physiognomy, challenged Moses Mendelssohn to deny his belief in Judaism, calling upon him to disprove publicly the truth of the Christian faith. In case he was unable to do so he should convert to Christianity. Mendelssohn, supported by his friend Gotthold Ephraim Lessing, the author of *Nathan the Wise*, for whom Mendelssohn has been supposed to have served as the model, stuck to his convictions. The scene represents the historic encounter between the two opponents.

III.6*
Visit to a Gallery of Antique Art
Oil on canvas
74×59
Signed and dated 1865
Historisches Musem, Hanau, Inv. No. B 7823
An example of the narrative genre style, characteristic of the Biedermeier period. The intimate and genial atmosphere which marks this and the following picture had by this time become predominant in Oppenheim's work.

III.7*
Contemplative Hour
Oil and canvas
56×43
Signed with initials
Historisches Museum, Hanau, Inv. No. B 7824

III.8
Bismarck in St. Peter's in Rome
Oil on canvas
52.5×42.5
Israel Museum; Bequest Alfred N. Oppenheim, London, Inv. No. P 334–8–58

"Scenes from Traditional Jewish Family Life"

In the fifties, Oppenheim started to work on a series of paintings representing various aspects of Jewish family life. Against the background of the synagogue or the domestic environment, the ceremonies which mark Jewish life are described in detail. The subject occupied the artist until the end of his life, so that a good number of the scenes were repeated several times over. Upon the request of the Frankfurt publisher Heinrich Keller, Oppenheim, in the mid-sixties, undertook to copy his paintings in different tones of grey (grisaille) in order to facilitate their photographic reproduction. The first six photographs were published in 1866. A second edition of twelve followed in 1868 and in 1874 a further six were added. The final edition of twenty apppeared in 1881.

A deluxe book edition containing twenty plates with accompanying texts by Rabbi Stein appeared shortly after Oppenheim's death in 1882.

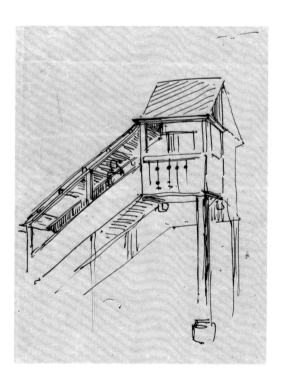

III.9*
The Return of the Volunteer, 1833–1834
Oil on canvas
85×92
Collection Edgar F. Rebner, New York and Lugano
This is Oppenheim's first treatment of a Jewish subject. It stresses Jewish participation in the German struggle for freedom from French occupation under Napoleon, between 1812–1815. Paradoxically it was precisely this victory over Napoleon by the allied powers and the subsequent Congress of Vienna of 1815 which brought in their wake new repression of the Jews. In 1835, the Jewish citizens of the Grand-Duchy of Baden presented the painting to Dr. Gabriel Riesser to express their gratitude for his active support in their fight for civil rights.

III.10*
The Wedding
Oil on canvas
37×27.5
Signed and dated 1861
Israel Museum, Inv. No. M 1149-3-56
The picture emphasizes the Frankfurt background. The scene is set in front of the local synagogue. According to a Frankfurt custom, in this version of the wedding ceremony the prayer shawl serves as *hupah* instead of the usual canopy. Both bridegroom and bride wear nuptial belts.

◁
III.11*
Staircase of the Old Frankfurt Synagogue
Pen and ink
18×14.5
Israel Museum; Bequest Alfred N. Oppenheim, London, Inv. No. P 533-8-58
Sketch for *The Wedding*

III.12*
Mother and Daughter
Pencil
25.5×18
Israel Museum; gift of Mr. Raphael Rosenberg, London, Inv. No. M 3548-7-55
Sketch for *The Wedding* (No. III.10)

III.13*
The Fiddler
Pencil and white chalk
18.5×11.5
Israel Museum; gift of Mr. Raphael Rosenberger, London, Inv. No. M 3549-7-55
Sketch for *The Wedding* (No. III.10)

III.14*
Ushering in the Sabbath
Oil on canvas (grisaille)
45.5×35.5
Signed and dated 1865
Collection Oscar Gruss, New York
The grisaille versions remained in the possession of
the publisher Heinrich Keller, who had com-
missioned them, until the beginning of the 20th cen-
tury. Subsequently they were acquired by the
Cramer family, Frankfurt, who owned them until
after World War II. They emigrated to London in
the thirties, taking the pictures with them.

III.15
Boy Carrying a Book
Pencil and white chalk
29×12.5
Israel Museum; gift of Mr. Raphael Rosenberg,
London, Inv. No. M3546–7–55
Sketch for *Ushering in the Sabbath* (No. III.14)

III.16*
Sabbath Afternoon, c. 1866
Oil on canvas
50×57.5
Signed
Skirball Museum of Jewish Art, Hebrew Union
College, Los Angeles

III.17
Sabbath Afternoon
Oil on canvas (grisaille)
52.5×63
Signed and dated 1866
Israel Museum; Schatz Fund, 1942, Inv. No.
M 76–3–42

III.18*
The Conclusion of the Sabbath
Oil on canvas (grisaille)
64×35.5
Signed and dated 1866
Collection Oscar Gruss, New York

III.19*
Head of a Young Polish Jew
Pencil and white chalk
14×10
Israel Museum; gift of Mr. Raphael Rosenberg,
London, Inv. No. 3547–7–55
Sketch for *Friday Evening*

III.20*
"Jahrzeit"
Oil on canvas (grisaille)
67×52
Signed and dated 1875
Collection Oscar Gruss, New York
A scene from the Prussian-French war of 1870–71.
The first version of this picture was painted in 1871.

III.21
Listening Girl
Charcoal and white chalk
25.5×12.5
Israel Museum; Bequest Alfred N. Oppenheim,
London, Inv. No. P 561–8–58
Sketch for *Jahrzeit* (No. III.20)

III.22
Jewish Soldier
Pencil
24×15.5
Israel Museum; gift of Mr. Raphael Rosenberg,
London, Inv. No. M 3553–7–55
Sketch for *Jahrzeit* (No. III.20)

III.23*
Standing Soldier
Pencil and white chalk
36×14
Israel Museum; gift of Mr. Raphael Rosenberg,
London, Inv. No. M 3554–7–55
Sketch for *Jahrzeit* (No. III.20)

III.24
Wounded Soldier
Pencil and white chalk
Verso: standing and kneeling man, pencil
30×17
Israel Museum; Bequest Alfred N. Oppenheim,
London, Inv. No. P 625–8–58
Sketch for *Jahrzeit* (No. III.20)

III.25
Sitting Man with Crossed Arms
Pencil and white chalk
28×16
Israel Museum; gift of Mr. Raphael Rosenberg,
London, Inv. No. 3543–7–55
Sketch for the *Bar Mitzvah Speech*

III.26
Man Sitting in an Armchair
Pencil and white chalk
26.5×25
Israel Museum; gift of Mr. Raphael Rosenberg,
London, Inv. No. 3540–7–55
Sketch for the *Bar Mitzvah Speech*

III.27*
Purim (The Feast of Esther)
Oil on canvas (grisaille)
47×57
Signed and dated 187?
Collection Oscar Gruss, New York

III.28*
The Heder (Jewish school for children)
Oil on canvas
28×21
Signed and dated 1878
Collection Oscar Gruss, New York
The picture is probably based on Oppenheim's memories of his childhood when he himself attended the *heder* in the Hanau ghetto.

III.29
Shavuoth (The Feast of Weeks)
Oil on canvas
70×60
Signed and dated 1880
Collection Oscar Gruss, New York

III.30*
Hanukkah (The Festival of Lights)
Oil on canvas (grisaille)
70.4×57.2
Israel Museum; gift of Mr. Sally Cramer, London, in memory of his brother Herbert, who was killed in the Hadassah convoy, April 1948. Inv. No. 506/28

III.31*
Figure studies
Pencil and white chalk
35×26.5
Israel Museum; Bequest Alfred N. Oppenheim, London, Inv. No. P 663–8–58
Sketch for Hanukkah (No. III.30).

III.32
Father and Jumping Child
Pencil and white chalk
30×27
Signed and dated 1880
Israel Museum; gift of Mr. Raphael Rosenberg, London, Inv. No. M 3551–7–55
Sketch for *Hanukkah* (No. III.30).

III.33
Young Man Holding a Torah Scroll
Pencil and white chalk
28.5×19
Israel Museum; gift of Mr. Raphael Rosenberg, London, Inv. No. M 3538–7–55
Sketch for the *Child's First Visit to the Synagogue*

III.34
Bent Old Man
Pencil
30×10.5
Israel Museum; gift of Mr. Raphael Rosenberg, London, Inv. No. M 3552–7–55
Sketch for the *Village Vendor*

III.35*
Man Holding a Wineglass
Pencil and white chalk
15×14
Israel Museum; gift of Mr. Raphael Rosenberg, London, Inv. No. M 3550–7–55
Sketch for *Sukkoth* (Feast of Tabernacles)

IV. Miscellaneous

IV.1
Sketchbook, 1822–1828
Pencil
20.5×13
Israel Museum; Bequest Alfred N. Oppenheim, London, Inv. No. P. 528–8–58
Oppenheim used this sketchbook over several years. It contains many sketches for *Hermann and Dorothea* by Johann Wolfgang von Goethe (No. IV.11).

IV.2

Sketchbook, 1825
Pencil
11.5×16.5
The Jewish Museum, New York; gift of Mr.
Georges E. Seligmann, Inv. No. JM 68–59
Sketches of the return trip from Rome to Frankfurt.
Oppenheim also used the sketchbook as a journal
with daily entries about his journey.

IV.3

Sketchbook
Pencil
15.5×10.5
Israel Museum; gift of Mrs. Adele Seligmann, New
York, Inv. No. M 117–1–55
Dates from the thirties and forties with sketches of
visits to Amsterdam and Italy. Also contains many
written notes, among them addresses and price
calculations.

IV.4*

Study of the nude, sitting youth
Pencil
26.5×23.5
Signed with initials, dated Rome 12.1.22
Israel Museum; Bequest Alfred N. Oppenheim,
London, Inv. No. P 608–8–58

IV.5

A Monk
Pencil
36×20.5
Israel Museum; Bequest Alfred N. Oppenheim,
London, Inv. No. P 664–8–58
Copy of a figure from "The Funeral of St. Ber-
nardo" by Pinturicchio in Santa Maria in Aracoeli,
Rome.

IV.6

Harpist
Pencil
32.5×22
Israel Museum; Bequest Alfred N. Oppenheim,
London, Inv. No. P 665–8–58

◁
IV.7*

Re dei Boschi (King of the Woods)
Pencil
23.5×15.5
Israel Museum; Bequest Alfred N. Oppenheim,
London, Inv. No. P 602–8–58
Costume design with colour indications; possibly
for one of the "Tableaux Vivants" which Op-
penheim used to arrange on festive occasions in the
house of Baron Anselm von Rothschild
(*Reminiscences*, p. 77).

IV.8

Study of the nude, youth carrying a basket
Pencil
41.5×20
Israel Museum; Bequest N. Oppenheim, London,
Inv. No. P 655–8–58

IV.9*

**Design for a table centrepiece for Sir Moses Mon-
tefiore**
Pen and ink
16.8×11.6
Signed and dated 1841
Israel Museum; Bequest Alfred N. Oppenheim,
London, Inv. No. P 569–8–58
The Frankfurt Jewish community commissioned
Oppenheim to design a silver table decoration as a
gift for Sir Moses Montefiore after his and Adolphe
Crémieux' return from Damascus where they inter-
vened on behalf of Jews accused of ritual murder.
(Letter of Moritz Oppenheim to Gabriel Riesser,
January 26, 1841, p. E66).

IV.10*

"Die grosse Eschenheimer Gasse"
Pencil
22×24
Historisches Museum, Frankfurt a/M, Inv. No.
C 40 837
Street in the centre of Frankfurt. The tower in the
background, the Eschenheimer Turm, is an old
landmark which survived the destruction of the
Second World War. It is the last of the towers
which formed part of the old city wall.

IV.11* △

Illustrations to *Hermann and Dorothea* **by Johann Wolfgang von Goethe**
Ten Lithographs by A. Lucas after outline drawings by Moritz Oppenheim
Printed by F.C. Vogel, Frankfurt a/M, 1828
Israel Museum; Bequest Alfred N. Oppenheim, London, Inv. No. P 526–8–58
In 1827 Oppenheim visited Weimar and was introduced to Goethe. The illustrations to *Hermann and Dorothea* were the results of this meeting. A year before, Oppenheim had sent a collection of sketches to Goethe asking for his opinion. Goethe answered him at length on December 9, 1826, and chose *The Departure of Young Tobit* for himself (*Reminiscences*, p. 101 ff). Chancellor von Müller, to whom Oppenheim dedicated the illustrations, wrote on October 28, 1828: "Goethe promises to write you soon himself. He greatly praises the composition and I can assure you that the whole pleased him very much" (*Reminiscences*, p. 107). These letters have been lost. Another result of the Weimar visit was the granting, through Goethe's recommendation, of the title "professor" to Oppenheim by Grand-Duke Karl August (No. V.7).

IV.12

Bilder aus dem altjüdischen Familienleben nach Originalgemälden von Professor Moritz Oppenheim (Pictures from Traditional Jewish Family Life after original paintings by Professor Moritz Oppenheim)
With introduction and explanations by Dr. Leopold Stein, Frankfurt a/M, publisher Heinrich Keller, 2nd edition, 1886

IV.13*

Medal struck in honour of Dr. Gabriel Riesser, 1836
Designed by Moritz Oppenheim
Silver
Diameter 6 cm.
Israel Museum
Gift of the Jewish congregation of Hamburg on the occasion of Riesser's departure from the city. The figure of the mother feeding two children symbolizes a love which knows no difference between the two religions, Judaism and Christianity, represented by the flanking figures. The inscription quotes Malachi 2:10: "Don't we all have one father, have we not been created by one God?"

V. Documentary Material

V.1

View of the Roman Ghetto, 1817
Etching
21×30
Israel Museum, Inv. No. 3020–11–51

V.2

Piazza Giudia in Rome
Etching by Giuseppe Vasi (1710–1782)?
19.5×29.5
Israel Museum, Inv. No. M 2995–11–51

V.3*

Jesuits Trying to Convert the Jews in Rome, 1823
Lithograph by Hieronimus Hess (1799–1850)
33×45.5
Israel Museum, Inv. No. M 311–5–51
"Every Saturday afternoon a number of Jews, about 300 men and women, had to attend a cleric's sermon in church which should lead them to conversion. A Jesuit with a fly-swatter hit every Jew who was or seemed to be asleep. In the beginning, the required number used to appear out of curiosity. Every time the cleric mentioned the name of Christ the listeners shouted *Yemah Shmo.** The cleric, who understood Hebrew well, warned them to abstain from such exclamations. Eventually the number of attendants decreased. As the community had to pay a fine for every missing person, many entered through the door and jumped out of the window in the opposite wall and appeared again before the Jesuit at the gate who checked the number of those entering, until the required number was reached" (*Reminiscences*, pp. 66/67).

*Be his name extinct

V.4

The Jew Street in Frankfurt a/M
Israel Museum, Inv. No. M 1133–11–42

V.5

Letter of recommendation issued to Moritz Oppenheim by the Director of the Drawing Academy in Hanau
Dated August 27, 1820

V.6

Nomination as an honourary member of the "Museum"
Dated November 1st, 1825
The "Museum", a cultural society, later became the "Museum Society dedicated to the cultivation of Music".
Oppenheim was the first Jew to receive this distinction (*Reminiscences*, p. 74).

V.7*

The bestowal of the title "Professor" to Moritz Oppenheim by the Grand-Duke Karl August of Saxony–Weimar–Eisenach
Dated Weimar, March 15th, 1827
The Jewish National and University Library, Jerusalem

V.8

Nomination as an honourary member of the Hanau Drawing Academy
Dated November 26, 1857
Signed by the Elector Friedrich Wilhelm I of Hesse-Cassel
Official notification by the Academy
Dated December 10, 1857

V.9

Application for permit of residence (facsimile)
Dated September 12, 1825
Municipal Archives, Frankfurt a/M

V.10

Extract from the Registry Office, confirming grant of citizenship of the Free City of Frankfurt to Professor Moritz Oppenheim, his wife Fanny née Goldschmidt and his six children (facsimile)
Dated December 27, 1849
Oppenheim took the oath of allegiance on March 7, 1851
Municipal Archives, Frankfurt a/M

V.11

Two engagement letters
1 Moritz Oppenheim to Fanny Goldschmidt, dated September 12, 1838
2 Fanny Goldschmidt to Moritz Oppenheim, dated September 14, 1838

V.12

Letter in rhymes by Moritz Oppenheim to his bride Fanny Goldschmidt, dated December 11, 1838

V.13

Marriage agreement between Moritz Oppenheim and Fanny Goldschmidt, dated November 7, 1838
The marriage took place on March 24, 1839. A numerus clausus limited the number of Jewish marriages in Frankfurt to fifteen a year, including two in which only one of the partners was a Frankfurt citizen. For this reason the wedding was held in Bockenheim, outside Frankfurt, and as a result Fanny lost her Frankfurt citizenship. A petition for permission to retain it was refused.

V.14

Two letters by Count von Ingenheim, half-brother of the King of Prussia and the Electress of Hesse, to Moritz Oppenheim

1 Letter dated Rome, August 27, 1824 dealing with the commission of the painting *The Dismissal of Hagar* (No. II.9) for the Electress of Hesse
2 Letter dated Dresden, July 29, 1826 confirming the Count's agreement to the exhibition of his painting *Hagar in the Desert* by Moritz Oppenheim in the annual Berlin Art Exhibition.

V.15

Letter by Moritz Oppenheim to the painter Wilhelm Hensel, Berlin, the husband of Felix Mendelssohn's sister Fanny, dated June 21, 1831

Oppenheim introduces and recommends his pupil, Baroness Charlotte von Rothschild, who wants to continue her painting lessons with Hensel during her stay in Berlin.

V.16

Letter by Baroness Charlotte von Rothschild to Moritz Oppenheim, undated

The Baroness commissions Openheim to purchase a painting for her.

V.17

Letter by Isaak Wolffson, President of the Jewish Congregation of Hamburg, to Moritz Oppenheim, dated September 4, 1840

The letter deals with the commission for the painting *Moses Hands over Leadership to Joshua* (No. II.14).

V.18

Two letters by Moritz Oppenheim to Gabriel Riesser (the full texts appear on pp. E66–E67).

1 Dated Frankfurt, January 24, 1841
2 Dated Frankfurt, June 10, 1842

V.19

Seven letters by Gabriel Riesser to Moritz Oppenheim (the full texts appear on pp. E68–E77).

1 Dated Hamburg, Feb 19, 1842
2 Dated Hamburg, June 12, 1843
3 Dated Hamburg, January 9, 1844
4 Dated Hamburg, March 6, 1844
5 Dated Hamburg, May 9, 1844
6 Dated Hamburg, December 20, 1844
7 Dated Hamburg, May 2, 1855

V.20

Letter by Adolf Strodtmann, Hamburg, to Moritz Oppenheim.

Dated Hamburg, May 15, 1862
Adolf Strodtmann was the editor of Heine's works, published by Hoffman und Campe, Hamburg. The letter confirms Mr. Campe's agreement to an exchange of books, published by Hoffmann und Campe, for Oppenheim's portrait of Heine. Strodtmann asks Oppenheim for a request list of books. The deal obviously came through and the picture remained in the possession of the Campe family until 1914 when it was bequeathed to the Hamburger Kunsthalle.

V.21

Letter by Gallery Inspector R. Hofmann of the Museum in Darmstadt

Dated July 15, 1871
Mr. Hofmann proposes a list of paintings for exchange.

V.22

Letter of thanks by the Städel Art Institute, Frankfurt

Dated February 3, 1875
The Institute expresses its gratitude to Oppenheim's sons, Emil and Guido for presenting a painting, *The Examination,* by their father.

V.23

Letter by Moritz Oppenheim to his family

Dated Bad Homburg, September 5, 1880
Oppenheim sends his good wishes for Rosh Hashana (New Year)

V.24

Sir Moses Montefiore (1784–1885)
Steel engraving after a photograph
20×16
Israel Museum, Inv. No. M 98–1–40
Oppenheim met Sir Moses Montefiore in 1837 when he visited London. He was introduced to him by the Rothschilds, whose portraits he was painting. After the return of Montefiore and Crémieux from Damascus, the Jewish communities of France, England and Germany competed in celebrating the rescuers and offering them gifts. Oppenheim was actively involved with these celebrations.

V.25

Adolphe Crémieux (1796–1880)
Lithograph after a photograph
27×21.5
Israel Museum, Inv. No. M 576–5–51
Advocate and politician who accompanied Sir Moses Montefiore to Damascus. Co-founder of the Alliance Israélite Universelle.

V.26

Poem by Theodor Creizenach in honour of the women

Composed for a banquet in honour of Sir Moses Montefiore and Adolph Crémieux after their return from Damascus, November 1840
Israel Museum, Bequest Alfred N. Oppenheim
Creizenach was a writer and teacher who taught the sons of Oppenheim's patron, Anselm von Rothschild. He converted in 1854.

V.27

Song composed for a banquet in honour of Adolphe Crémieux, Frankfurt, December 8, 1840

Israel Museum, Bequest Alfred N. Oppenheim, London

V.28

Moses Mendelssohn (1729–1786)

Engraving by Johann Gotthard Müller, after a painting by J.C. Frisch. Dedicated to King Friedrich Wilhelm II of Prussia by the Jewish Free School, Berlin, 1787
17.5×19.5
Israel Museum, Inv. No. 1491–6–45

V.29

Request by the Austrian Art Association, Vienna, for the loan of the painting "Lavater and Lessing Visit Moses Mendelssohn" (No. III.5), for an exhibition.

Dated September 15, 1861.
Israel Museum, Bequest Alfred Oppenheim, London

V.30

Moritz Oppenheim, 1853

Etching by Johann Eisenhardt
18×14
Israel Museum, Bequest Alfred N. Oppenheim, London

V.31

Moritz Oppenheim

Photograph of a drawing by Schertle
Israel Museum, Bequest Alfred N. Oppenheim, London

V.32*

Moritz Oppenheim in his studio

Photograph
Israel Museum, Bequest Alfred N. Oppenheim, London

V.33

"Moritz Oppenheim"

Article published in *Namenlose Blätter*, Berlin, October 9, 1879
Israel Museum, Bequest Alfred N. Oppenheim, London

מוריץ אופנהיים
הצייר היהודי הראשון

התערוכה והקטלוג באדיבות קרן אדמונד דה רוטשילד.

על העטיפה מפנים: שבת אחרי הצהריים (מס' 16.III)
על העטיפה מאחור: דיוקן עצמי (מס' 2.I)

אוצרת התערוכה: אלישבע כהן
עוזרות לאוצרת: עמליה זיפקין ודפנה לפידות
עריכה ועיצוב הקטלוג: אפרת כרמון
תרגום לעברית: ירחמיאל כהן ומרים דינור
סדר: צמרת וכנהאוזר
עיצוב התערוכה: תלמה לוין
תצלומי צבע: נחום סלפק, מוזיאון ישראל; דוד חריס, ירושלים; מרווין רנד, לוס אנג'לס

תצלומי שחור־לבן: נחום סלפק, מריאנה סלזברגר, מוזיאון ישראל; דוד חריס, ירושלים; אריק פוליטצר, ניו־יורק; צלמי המוזיאונים שהשאילו מתמונותיהם
לוחות: טפשר בע"מ, ירושלים
הפרדת צבעים: סקנלי בע"מ, תל־אביב
נדפס במפעלי דפוס בן־צבי בע"מ, ירושלים

קטלוג מס' 238
מסת"ב: 965 278 014 6

© כל הזכויות שמורות למוזיאון ישראל, ירושלים, 1983

הדפסה שנייה 1987, מוצרי מוזיאון ישראל בע"מ

9.11

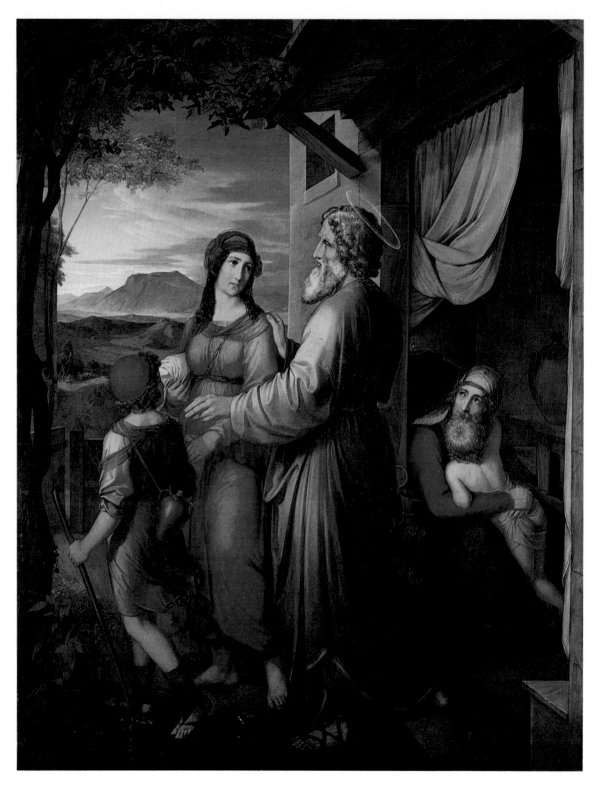

דברי הקדמה ותודות

עד לתקופת האמנסיפציה באו ההישגים האמנותיים של יהודים לידי ביטוי בעיקר בעיטור ובהידור תשמישי־קדושה וכן באיור כתבי־יד עבריים. רק מאז ראשית המאה הי"ט, עם היציאה מבין חומות הגטו והסרת המגבלות האזרחיות והדתיות שהיו כרוכות בו, יכלו היהודים לתת ביטוי לכשרונותיהם בכל תחומי האמנות. הראשון שזכה לממש את האפשרויות החדשות הללו, וזאת בלא שנטש את דתו, היה מוריץ אופנהיים.
יצירתו של אופנהיים לא הוצגה בתערוכת־יחיד מאז שנת 1900, שאז חגג ה"קונסטפראיין" בפרנקפורט ע"נ מיין — העיר שבה חי אופנהיים כל שנות בגרותו — את שנת המאה להולדתו של האמן בתערוכה מקיפה. מוזיאון ישראל, שבו מופקד חלק גדול מעזבונו של אופנהיים, נטל על עצמו לתקן הזנחה מצערת זו, בחינת פרעון חוב של כבוד. בתערוכה הנוכחית, הכוללת עבודות מכל תקופות יצירתו רבת־השנים, נעשה נסיון להציג את מוריץ אופנהיים לא רק כצייר של נושאים יהודיים — כפי שמקובל היה לראותו — אלא גם להראות את הישגיו בתחומים אחרים. לפיכך מוצגת כאן הקשת הרחבה של פעילותו האמנותית, וכן מודגשים היבטים נוספים של אישיותו המיוחדת־במינה באמצעות מבחר מסמכים ותעודות.
אסירי־תודה אנו לגב' אלישבע כהן, אשר ארגנה את התערוכה וחיברה את הקטלוג המלווה אותה. התעניינותה הנמשכת באמן והמאמרים שפרסמה על אודותיו עשוה לאדם המתאים ביותר למשימה זו. כן מודים אנו לפרופ' איסמר שורש על שהעמיד לרשותנו לפרסום בספר זה את מאמרו המאלף על מקומו של אופנהיים בהקשר ההיסטורי. ד"ר ירחמיאל כהן באדיבותו תרגם את המאמר לנוסחו העברי המקוצר.

מימונם של התערוכה והקטלוג הנלווה אליה באו — כיאה וכהולם מפעל מעין זה — מאת קרן אדמונד דה רוטשילד, נצר לאותה משפחת בנקאים מפרנקפורט שהיו פטרוניו החשובים של אופנהיים ואשר הוא צייר את דיוקנותיהם של דורות אחדים מבניה. על תמיכתו הנלהבת והפעילה במפעל מראשיתו ועד הלום חבים אנו לו תודה נאמנה.

באוסף מוזיאון ישראל מצויים רבים מרישומיו של אופנהיים, אך מרבית תמונות השמן שבתערוכה נקבצו ממוזיאונים ומאוספים פרטיים בארצות שונות. לכל אלו שהשאילו לנו באדיבותם את התמונות המרכיבות תערוכה זו נתונה תודתנו:

ברקלי, קליפורניה, מוזיאון הזכרון ע"ש יהודה ל' מגנס
גריניץ' קונטיקאט, מר דניאל פרידנברג
דיסלדורף, קונסטמוזיאום
האנאו, המוזיאון העירוני
המבורג, המבורגר קונסטהאלה
ירושלים, בית־הספרים הלאומי והאוניברסיטאי
ירושלים, גב' מרתה במברגר
לוגאנו, מר אדגר פ' רבנר
לונדון, הגלריה הלאומית לדיוקנאות
לוס אנג'לס, היברו יוניון קולג' — מוזיאון סקירבול
ניו־יורק, אוסף אוסקר גרוס
ניו־יורק, המוזיאון היהודי
פרנקפורט ע"נ מיין, המוזיאון ההיסטורי
קופנהאגן, מוזיאון תורוואלדסן
קלן, ואלראף־ריכרדס מוזיאום.

ולבסוף, תודה מיוחדת לד"ר ארתור קאופמן, לונדון, על מתנתו — הדיוקן העצמי של האמן בצעירותו, המופיע על כריכת הקטלוג. תמונה זו, שאך לא מכבר אותרה, היא תוספת חשובה המפארת את התערוכה ואת אוסף המוזיאון.
נציין עוד בהערכה את ד"ר דיטריך אנדרנאכט, איש הארכיון העירוני של פרנקפורט, שהסב את תשומת־לבנו לחומר הקשור לאופנהיים המצוי בארכיונו.

מרטין וייל
מנהל

5

תוכן

4 **דברי הקדמה ותודות**
מרטין וייל

9 **מוריץ דניאל אופנהיים:**
חייו ודרכו באמנות
אלישבע כהן

25 **האמנות כהיסטוריה חברתית:**
אופנהיים וחזון האמנסיפציה של יהודי גרמניה
איסמר שורש

37 **תאריכים ביוגרפיים**

39 **חליפת מכתבים בין אופנהיים וריסר**

50 **קטלוג**

הערה: האות **ע** לאחר מספר עמוד מציינת שהכוונה לעמוד בחלקו העברי של הספר;
האות E לאחר מספר עמוד מציינת שהכוונה לעמוד בחלקו האנגלי של הספר.

9.I

מוריץ דניאל אופנהיים: חייו ודרכו באמנות

לפני עשרים וחמש שנים, ב־1958, קיבל המוזיאון הלאומי "בצלאל", שהוא כיום חלק ממוזיאון ישראל, עזבון חשוב: אוסף של מתווים, רישומים, הדפסים, תצלומים, וכן מכתבים ומסמכים של הצייר מוריץ דניאל אופנהיים.[1] פריטים מסוימים מתוך האוסף הזה הוצגו בהזדמנויות שונות במקומות שונים, אך זה זמן רב הורגש הצורך בתערוכה כוללת של עבודותיו של אמן זה. עתה, למעלה ממאה שנה לאחר מותו, נראה, שהגיעה השעה להערכה מחודשת של הצייר ושל יצירותיו בהקשר של תקופתו.

חייו ויצירותיו של אופנהיים משקפים את יציאתה של יהדות גרמניה מן הגטו אל העולם המודרני. מעמדו כאמן וכיהודי, הבעיות המיוחדות שבהן נתקל, יחסיו עם העולם הסובב אותו — כל אלה שופכים אור על פרק בתולדות עם ישראל, שעיקרו המאבק לאמנסיפציה.

מוריץ אופנהיים התפרסם בראש ובראשונה בזכות סדרת ציוריו המתארים חיי משפחה יהודית ברוח המסורת. ציורים אלה, שהם פרי שנות בגרותו, הביאו לו תהילה ובגללם נחשב לצייר היהודי הראשון. במשך השנים האפילה תדמית זו על העובדה, שאופנהיים כבר הוציא מתחת ידיו מגוון עשיר ונרחב של עבודות לפני שהסב את עיקר תשומת־ליבו, אם כי לא את כולה, לנושאים היהודיים אשר הביאו לפופולריות הרבה שלו בחוגים היהודיים.

בנעוריו עבר אופנהיים את הדרך האקדמית המסורתית של אמן מקצועי. עד אז לא היתה קריירה כזו פתוחה בפני יהודי, אלא אם כן היה מוכן להתנצר. אופנהיים היה ללא ספק יוצא־דופן בדורו, מכיוון שעמד איתן מול ידידים, שלחצו עליו להמיר את דתו, והתעקש ללכת בדרכו־שלו. במובן זה ראוי הוא להיקרא הצייר היהודי הראשון.

שנות חייו של מוריץ אופנהיים משתרעות על פני המאה הי"ט כולה כמעט. הוא נולד בינואר 1800 ומת ב־1882, ועבד למעשה עד יומו האחרון.[2] מסיפור חייו ידועות לנו עובדות מעטות והרבה אנקדוטות. בהיותו בן שמונים כתב את זכרונותיו, למען ילדיו ונכדיו. כתב־היד של ה"זכרונות" הוצא לאור רק ב־1924, בידי נכדו, אלפרד אופנהיים, שהיה צייר גם הוא.[3] הספר הקטן עוסק בעיקר בהרפתקאותיו של אופנהיים כאיש צעיר, והוא מתאר בחן רב את התופעה החדשה של אמן יהודי בן תקופת האמנסיפציה. מקורות אחרים הם מכתביו לבני משפחה, החושפים בפנינו אישיות חמה ורגישה, בעלת חוש הומור חביב. התכתבויות עם סוחרי אמנות ועם עובדי מוזיאונים מגלות, שהוא היה איש־עסקים חריף ומצפוני, ותעודות הוקרה ואותות כבוד שונים מוכיחים, שקהילתו רחשה לו כבוד. אך מתוך המסמכים השמורים בארכיון העירוני של פרנקפורט אפשר לראות, שלמרות כל אלה היה עליו להתגבר על לא מעט קשיים כדי לזכות כיהודי באזרחות העיר החופשית פרנקפורט, שבה חי רוב ימיו. אלה המקורות שבכתב. הציורים מדברים בעד עצמם, אף כי אינם רבים. עלינו להניח שרבות מיצירותיו של אופנהיים אבדו במהלך השואה, שאז נשמדו קהילות ובתים יהודיים רבים כל כך. אופנהיים היה אדם חרוץ ביותר. הוא עצמו הדגיש נקודה זו שוב ושוב, והדבר מוצא את אישורו בכמות הגדולה של מתווי־ההכנה שצייר, המצויים עדיין בידינו. אין ספק, שבמהלך חייו הארוכים והפעילים יצר מאות, אם לא אלפי ציורי שמן וצבעי מים, רישומים והדפסים. ההערכה המחודשת הכללית של אמנות המאה הי"ט, שנעשתה בשנים האחרונות, העלתה אמנים נשכחים רבים וייתכן שהיא תסייע לגלות מחדש גם כמה מעבודותיו של אופנהיים, שכיום דומה כאילו נעלמו.

מוריץ אופנהיים נולד בגטו של האנאו, עיר קטנה ליד פרנקפורט. הוא למד בחדר ובתלמוד־תורה. ב־1811 בוטל הגטו, במסגרת הליברליזציה שחלה עם הכיבוש הצרפתי של אזורים נרחבים בגרמניה בימי נפוליון. בעקבות זאת ביקר אופנהיים בבית־הספר העל־יסודי העירוני, ומה שחשוב יותר — באקדמיה המקומית לציור. פרופסור קונרד וֶסטרמאייר, שעמד בראש מוסד זה, עודד את הנער ולבסוף אף מינה אותו לעוזרו. מכתב ההמלצה מטעם האקדמיה, מן ה־27 באוגוסט 1820, והעובדה שהמוסד רכש תמונה מידי בוגרו בן העשרים, מהווים הוכחה, שהישגיו של אופנהיים הצעיר זכו להערכת מוריו. 1.II (עמ' 10ע)

לאחר תקופת לימודים קצרה במכון שטֶדל לאמנות, שנוסד זה מקרוב בפרנקפורט, עבר אופנהיים למינכן להמשך לימודיו. מן הדין שנציין את הגישה הליברלית של הוריו, אשר אף שהם עצמם היו בעלי שורשים עמוקים במסורת היהודית, לא הערימו שום קשיים על דרכו, ואף נתנו לו את ברכתם. זאת, כנראה, הודות להשפעתו של אחיו הגדול שמעון, שבאותה עת כבר עזב את הבית ותמך בנטיותיו המיוחדות של אחיו הצעיר.

1.II

במינכן התקבל אופנהיים לאקדמיה, שבראשה עמדו יוהאן פטר לנגר ובנו רוברט, אך התוצאות היו עלובות. למרות שעבד קשה, לא חש שום סיפוק, ומיהר לעזוב את המוסד ללא רגשי חרטה. השפעה מכרעת הרבה יותר היתה לפגישתו של אופנהיים עם הטכניקה החדשה — הדפס־האבן. טכניקה זו הומצאה כעשרים שנה קודם לכן במינכן בידי אלואיס זנפלדי, למטרות מסחריות גרידא, והאמנים אך זה החלו לגלות את האפשרויות הטמונות בה לצורכיהם־הם. אופנהיים למד את התהליך והשתמש בו לדיוקנאות שצייר בהזמנה, וכעבור שנים — כאמצעי לשעתוק ציורים.

הצעד הבא מביא אותו לפאריס, לסטודיו של ז'אן באטיסט רינו. ב"זכרונות" מתאר אופנהיים את שיטות ההוראה הקפדניות של מורו בנימת לעג מסוימת. גם כאן לא היה מרוצה מתוצאות לימודיו ועד מהרה עזב את פאריס ויצא לרומא. רומא היתה באותה עת הבירה העולמית של האמנויות ויעד שאין עליו עוררים של האמנים הצעירים. אופנהיים שהה שם ארבע שנים, תקופה שהיתה מכרעת לגביו בעתיד. עושר הרשמים שספג היה מהמם. הוא הרבה להתבונן באמנות העתיקה ובציורי הרנסאנס, וניסה ללמוד מן האמנים הגדולים על ידי העתקת עבודותיהם בחריצות יתרה. אך קשריו ההדוקים עם בני דורו השפיעו עליו יותר מכל.

קבוצת האמנים הגרמנים הצעירים שעבדו ברומא במחצית הראשונה של המאה הי"ט כונתה "הנצרנים" (Nazarenes), בגלל זיקתם לאמנות הנוצרית, אם כי במקורו נבע כינוי זה, כנראה, מהופעתם החיצונית — השיער הארוך, הפסוק באמצע — שהזכירה את התיאור המסורתי של ישו. בדחותם את הפאר של הרנסאנס המאוחר ושל אמנות הבארוק, חתרו הנצרנים להחיות את רוח הענווה והדבקות הדתית, שמצאו באמנות ימי־הביניים הגרמנית ובקווטרוצ'נטו האיטלקי.

במבט לאחור, בימי זקנתו, דיבר אופנהיים בזלזול־מה על ידידיו לשעבר: "הם בזו להופעה מהוגנת, התלבשו ברשלנות ולא סרקו את שערם. בבית ציירו על עץ תמונות קדושים נוקשות, מגושמות וחסרות־חן, שאפילו היו רשומות באופן גרוע. באלו חשבו להפגין רגש ולהביא לתחייה של האמנות. אלה היו הבחורים שכונו 'נצרנים'."[4]

למרות ביקורת מאוחרת זו היה אופנהיים הצעיר מושפע מאוד מסגנון הציור הנצרני. הדמויות בעלות קווי־
המתאר החדים, הקוויות הנוקשה והצבעים המקומיים העזים, תכונות שהיו כולן חלק מהדוקטרינה
הנצרנית, מאפיינות את ציוריו של אופנהיים משנות העשרים. הוא היה שותף לנצרנים גם בחיבתם לנושאים
תנ"כיים. הציורים "גירוש הגר" ו"סוזנה והזקנים" (יצירה המוכרת לנו כיום רק מתוך הדפס־אבן שנעשה על־ 9.II (עמ' 3ע),
פי הציור האבוד), אופייניים לתקופה זו בחיי אופנהיים. בדומה לנצרנים היה גם אופנהיים במיטבו בציורי 10.II (עמ' E9)
דיוקנאות. הדיוקן הקבוצתי "האחים יונג ומחנכם אקרמן" שצויר זמן קצר לאחר שובו מרומא, מבטא אותה 9.I (עמ' 7ע)
רוח כמו ציורו של יוהאן אנטון רמבו, "האחים אברהרד" — אחת מיצירות־המופת שבדיוקנאות הנצרניים.[5]

אופנהיים קשר קשרי ידידות עם רבים מן האמנים הגרמנים, אף אם מדי פעם נתגלעו אי־הבנות. אחדים מהם
נשארו ידידיו גם בשנים הבאות, כגון פיליפ פייט, בנה של דורותיאה שלגל ונכדו של משה מנדלסון, שהמיר
את דתו יחד עם אמו. שני הידידים היו נפגשים לעתים מזומנות לאחר שפיליפ פייט נתמנה למנהלו של מכון
שטדל לאמנות וחי בפרנקפורט, בשנים 43-1830. פרידריך מילר, שאת דיוקנו רשם אופנהיים ברומא במחברת 3.I (עמ' E12)
מתווים, נתמנה למנהלה של האקדמיה לאמנות בקאסל ונשאר גם הוא ידידו. הקשר הנמשך עם וילהלם
הנסל, צייר ברלינאי ידוע שנשא לאשה את פאני מנדלסון־ברתולדי, אחותו של פליקס מנדלסון, מוכח על־ידי
דיוקנה של פאני, שצייר אופנהיים ב־1842. אך הקשר שממנו הפיק אופנהיים את מירב קורת־הרוח היה 18.I (עמ' E16)
ידידותו עם הפסל הדני המכובד, ברטל תורוואלדסן, שהיה למגינו. דבים מידידיו, ששמותיהם כמעט אינם
זכורים כיום, כגון אמיל וולף, כריסטיאן לוטש, שמידט פון דר לאוניץ (שאת סדנתו בפרנקפורט צייר כעבור
שנים רבות)[6] היו שייכים לחוג שסבב את תורוואלדסן, כתלמידים או כעוזרים.

מלבד תורוואלדסן הוקיר אופנהיים ביותר את פרידריך אוורבק, מנהיגם הנערץ של הנצרנים. מתוך מכתב, שכתב עשר שנים לאחר שעזב את רומא, ניתן ללמוד על הכבוד שרחש לשני אמנים אלה, ועל הערכתו הנמשכת לעבודתם. במכתב זה, שנכתב לצייר אחר מידידיו, יוהאן דוד פסאוואנט, ביקש לרכוש למענו רישומים מאת תורוואלדסן ואוורבק, בלי להתחשב במחירים.[7] הכתובת שעל־גבי המכתב היא: "י"ד פסאוואנט — קפה גרקו". במקום זה יכול היה השולח להיות בטוח, שהמכתב יגיע ליעדו. קפה גרקו, הנמצא עד היום באותו מקום בוויה קונדוטי, היה מקום המפגש של האמנים הגרמניים. בספר האורחים שלו שמן

6.II

13

13.II

המאה הי"ט מצויות חתימות רבות של אמנים מחוג ידידיו של אופנהיים. בעל הבית היווני, שעל שמו נקרא בית־הקפה, היה הראשון שהרשה לעשן במקום בפומבי ולכן, כנראה, זכה לפופולאריות רבה כל־כך בין האמנים הגרמניים, מעשני המקטרת.

אופנהיים יכול היה לבטוח ברוב ידידיו. הנסל אף מנע פעם דו־קרב בינו לבין צייר אחר, שהעיר הערות
אנטישמיות.[8] אך היו לו גם אכזבות מרות, כאשר נדחה בגסות בגלל יהדותו. מצבו הבלתי־ברור הפך מביך אף
יותר, כאשר נפגש אופנהיים עם יהודי רומא, שהיו עדיין כלואים בגטו. הם סבלו מרדיפות בלתי־פוסקות מצד
הישועים, שלא בחלו בשום אמצעי כדי להעביר אותם על דתם. הלחץ אף גבר לאחר שליאו ה־12 עלה על כס 3.V (עמ' 59ע)
האפיפיורות בספטמבר 1823. התנאים העלובים והאיום המתמיד שהיה תלוי מעל לראשם, העיקו מאוד על
תושבי הגטו. אף על פי כן, כשנודע לאופנהיים על מות אמו, מצא לו מקלט בגטו ושם בילה את ימי השבעה.[9]

אך קשריו של אופנהיים עם בני עמו באיטליה לא הוגבלו לתושבי הגטו: בעת ביקורו בנאפולי התקבל אצל
הבארון קארל מאיר פון רוטשילד, בארמונו שבקאפו די מונטה. הברון היה ראש הענף שאך זה התבסס של
בית רוטשילד, והיועץ הפיננסי של המשפחה המלכותית. היתה זו פגישתו הראשונה של אופנהיים עם בן
משפחת רוטשילד, המשפחה שהפטרונות שלה היתה במרוצת השנים גורם מרכזי בחייו. הפגישה היתה
בבחינת פתיחה מעודדת: הבארון קנה שלוש תמונות והזמין תמונה רביעית — את "סוזנה והזקנים". 10.II (עמ' E9)

הזמנות נוספות באו מדיפלומטים פרוסיים שחיו ברומא, כגון השגריר הפרוסי, יועץ המדינה ניבור והרוזן אינגנהיים, אחיה־למחצה של האלקטורית של הסה, שניהלו כולם בית פתוח ואהבו לארח את האמנים הגרמניים. אך בעיקר נפתחו בפניו דלתות בתי האצולה הודות להתעניינותו של תורוואלדסן באמן הצעיר.

ה"זכרונות", שנכתבו במבט לאחור, בסופם של חיים ארוכים, עדיין משקפים את שביעות־רצונו של האמן מתקופת שהותו ברומא. הוא חש שהתקדם, אך היה מרוצה לא פחות מהצלחתו החברתית. למעשה, באותה עת הניח יסודות לאותם קשרים נרחבים, שהיו לו לעזר רב במהלך חייו. קשרים אלה הביאו לו הזמנות, אך מלבד זאת סיפקו לו בסיס למסחר המכניס בחפצי אמנות, שבו עסק אופנהיים כל ימיו. לא היה בכך דבר יוצא־דופן; אדרבה, היתה זו מסורת עתיקה ומכובדת. כלום דירר, רמברנדט, רובנס ורבים אחרים לא מכרו בקביעות יצירות אמנות נוסף על אלו שלהם? ממכתבים שנשתמרו בעזבונו של אופנהיים, כתובים בשלוש שפות, ניתן לעמוד על היקף פעילותו בתחום זה. קרוב לוודאי שהוא התחיל כסוכנם של פטרוניו, הרוטשילדים, אך נראה, שבמשך הזמן הפך אצלו המסחר באמנות לכעין קריירה שנייה. המומחיות שרכש בתחום זה באיטליה היתה לו לעזר רב.

אופנהיים חזר לגרמניה באביב 1825. נסיעתו מתוארת בפרוטרוט באחת ממחברות המתווים שלו, ששימשה
לו כיומן.[10] הוא נסע לאטו, בהפסקות, כשהוא עוצר לעתים קרובות כדי לראות מקומות מעניינים ולבקר 2.IV
ידידים. עם הגיעו לפרנקפורט הגיע לתחנתו הסופית.

שמעון אופנהיים, אחיו הבכור, שמאז ומעולם לקח על עצמו אחריות לקידומו של מוריץ הצעיר, התיישב
בפרנקפורט כבר ב־1812.[11] כאשר אופנהיים הגיע לפרנקפורט, כבר ישב בה גם אחיו השני, הירש. נוכחותם של
בני־משפחה במקום היתה בוודאי אחת הסיבות לכך, שהוא רצה להשתקע בעיר. סיבה אחרת קשורה, ללא
ספק, לעובדה שפרנקפורט היתה עיר עשירה, ואמן יכול היה להרוויח בה את לחמו. ב־1828 נשא אופנהיים
לאשה את אדלהייד קלבה מהאנאו, חברתו מילדות. היא נפטרה כעבור שמונה שנים והשאירה אחריה
שלושה ילדים קטנים. ב־1839 נשא אשה בשנית. פאני גולדשמידט, שהסכם הנישואים שלה עם אופנהיים 13.V
נשמר בידינו, היתה מפרנקפורט.[12] גם מנישואין שניים אלו נולדו לו שלושה ילדים. לפי עדות אופנהיים עצמו,
לא היו לו כל קשיים להסתדר בחייו החדשים. הגיעו אליו הזמנות הן מיהודים הן מלא־יהודים, ובעיקר רבה
היתה הדרישה לדיוקנאות שלו. אולם מסמכים שבארכיון העירוני מציגים צד פחות נעים של חייו: ליהודי
שלא נולד בפרנקפורט, לא קל היה לקבל רשיון־ישיבה בה, ולהיעשות לאזרח העיר החופשית היה קשה עוד
יותר. עברו כמעט עשרים וחמש שנים עד שהשיג אופנהיים יעד זה. עשר הבקשות להארכת רשיון־הישיבה,
שהגיש בין השנים 1825-1839 הן עדות למאבקו. ב־1847 הושבה ריקם בקשתו להתאזרחות, ורק כעבור
שנתיים — לאחר המהפכה של 1848, נענתה סוף סוף בקשה חדשה בחיוב. ב־1851 הותר לו להישבע שבועת
אזרח, ובכך בא על סיומו התהליך הממושך.[13] דומה שאופנהיים קיבל את הטרדה הזאת ברוח טובה, על כל
פנים לא ידוע על כל תלונות מצדו.

15

7.II

על אף קשריו הטובים של אופנהיים, בוודאי לא היה מצליח במידה כזאת, לולא חסותם של הרוטשילדים. בארון קארל מאיר מנאפולי, שעמו קשר את הקשר הראשון, חזר לבסוף עם משפחתו לפרנקפורט. קשרים חדשים והדוקים ביותר נוצרו עם ביתו של אנסלם פון רוטשילד, שאשתו שרלוטה היתה לתלמידתו של אופנהיים ונשארה ידידתו הנאמנה עד ליום מותה ב־1859.[14] במרוצת השנים מילא אופנהיים תפקידים מתפקידים שונים למען המשפחה כולה. הוא לא רק צייר את דיוקנותיהם של שלושה דורות של רוטשילדים; הוא גם מצא ורכש עבורם יצירות אמנות, עיצב את פנים בתיהם ויעץ להם בכל ענייני אמנות. נוסף לכך היה גם כעין "צייר חצר" רשמי שלהם, שהעלה על הבד אירועים חשובים בתולדות המשפחה, כגון "מאיר אנשל רוטשילד והאלקטור מהסה" ו"חמשת האחים רוטשילד מחזירים לאלקטור את הנכסים שהפקיד בידי אביהם למשמרת".

אחד מבניהם של אנסלם ושרלוטה, פרדיננד פון רוטשילד, בונה ארמון ואדסדון ואספן ידוע בזכות עצמו, סיפר בזכרונותיו, שנכתבו ב־1897 אך לא נתפרסמו, על פעילויותיו של אופנהיים בשירות אביו: "...אולם יותר מכל שמחתי כאשר הודיעו על בואו של פרופסור אופנהיים. הוא לא היה צייר חשוב במיוחד, אך היה ידיד המשפחה, ואנו, כל הילדים, צריכים היינו לשבת לפניו, כדי שיצייר את דיוקנותינו... למען האמת, סלחתי לו על המבחנים הקשים לסבלנותי, שבהם העמיד אותי, מכיוון שהיה אחד ה'צ יידים' הראשיים של יצירות אמנות למען אבי... עבודתו של פרופסור אופנהיים הביאה אותו לבתים פרטיים רבים, שבהם היה מגלה מדי פעם ורוכש גביע גרמני עתיק ואחר מביא אותו אל אבי. אין מלים בפי לתאר את השמחה שחשתי כאשר היה מוציא מעטיפותיו איזה גביע נדיר מנירנברג או מאוגסבורג, שנקנה לפי משקל."[15] הבארון פרדיננד לא העריך נכונה את בקיאותו והיקף פעילותו של אופנהיים, כשהניח שהוא מצא את החפצים היפים האלה באקראי, בביקוריו בבתים פרטיים. מכתבים ורשימות ששרדו מוכיחים שהיו לאופנהיים קשרי עסקים נמרצים ביותר עם סוחרים ואספנים מכל רחבי אירופה וכן עם מוזיאונים, שעמם ניהל גם עסקות־חליפין.

אחת מן ההזמנות החשובות ביותר שקיבל אופנהיים היתה בשנות השלושים, כאשר נתבקש לצייר את דיוקנותיהם של חמשת האחים רוטשילד. התמונות המקוריות, שהיו עד למלחמת העולם השנייה בספרייה הציבורית על־שם קארל פון רוטשילד בפרנקפורט, נעלמו כנראה. זה היה גם גורל דיוקנה של אמם, גודולה פון רוטשילד, שצויר ב־1849, שנת מותה.[16] רישום המתאר את הגברת הזקנה, שהיתה אז בת למעלה מתשעים, (E22 'עמ) 19.I
כלול בתערוכה זו וייתכן שהוא נעשה כמתווה־הכנה לתמונה האבודה. שני הגברים מן המשפחה, שדיוקנותיהם מוצגים כאן, הם בני דור צעיר יותר. מכיוון שיש מקום להניח שאופנהיים צריך היה לחזור (E21 ,20 'עמ) 14.I ,20.I
ולהעתיק רבים מן הדיוקנאות, למען בני משפחה שונים, כפי שעשה במקרים אחרים, ייתכן שאחדים מהם עדיין חבויים במרתפים או בעליות־הגג של בתי רוטשילד השונים.

אחרי שובו לפרנקפורט הקדיש אופנהיים את עיקר זמנו לציור דיוקנאות, תחום שבו פיתח מיומנות רבה. דיוקנותיו הם רציניים ומצוירים בכשרון. בני דורו אישרו, שהיה לו כשרון לצייר תמונה דומה מאוד לנושא.[17] ייתכן שהיה לשיקולים חומריים יד בדבר. ההכנסה היציבה, שבאה מציורי דיוקנאות בתקופה שטרם המצאת הצילום, היתה בוודאי חשובה לאב של משפחה הולכת ומתרחבת. אחר שנות הדחף והסער חל שינוי באורח חייו של אופנהיים ואווירה של הגינות וכבוד שרתה עליהם. התוצאות לא איחרו לתת אותותיהן ביצירתו. הרומנטיציזם של הנצרנים, שהטביע את חותמו על אופנהיים ברומא, פינה מקומו לריאליזם לבבי, האופייני לתקופת בידרמאייר. כושר ההסתגלות היה, ככל הנראה, מתכונותיו של אופנהיים. אין ספק, שהסגנון החדש, שערב כל־כך לטעם הבורגני, תאם לא רק את תנאי חייו החדשים של אופנהיים, האמן המצליח שנהנה מחסותם של אזרחים עשירים, אלא הלם גם את מזגו הנוח והלבבי, שידידיו הרבו להללו. וכך המשיך אופנהיים, שמעולם לא נמשך לציורי נוף, לצייר כל ימיו דיוקנאות ותמונות הווי, בלא לשנות מסגנונו כמעט, ובלא להיות מושפע מזרמים חדשים באמנות, שבוודאי היה עֵד להם.

תמונת ההווי הטיפוסית הראשונה שלו, שהיתה גם תמונתו הראשונה על נושא יהודי, הופיעה ב־1833/34. התמונה נושאת את השם הנמלץ "שובו של המתנדב היהודי ממלחמות השחרור לחיק משפחתו, החיה עדיין (עמ' 24ע) 9.III
על־פי המסורת הישנה". תמונה זו נחשבה למבשרת הסדרה "תמונות מחיי משפחה יהודית", שבה התחיל אופנהיים בשלב מאוחר הרבה יותר בחייו. אך נראה שכוונותיו של האמן, כאשר צייר את החייל הפצוע המוקף במשפחתו האוהבת, לא היו אותן כוונות אשר מקץ שנים הולידו את תיאורי המנהגים והחגים היהודיים, על קסמם הארכאי. למרות שמתנדבים יהודים נטלו חלק במלחמות השחרור, נפצעו ואף נהרגו במהלכן, כתוצאה מהן נגזלו מן היהודים בסופו של דבר הזכויות שמהן נהנו במשך שנים מספר. בקונגרס וינה ב־1815, שציין את סיום המלחמה, נשללו מן הקהילה היהודית של פרנקפורט הזכויות האזרחיות,

12.I

שהוענקו לה קודם לכן, והמדיניות הריאקציונית הקודמת הושבה על כנה. בתמונה זו רצה אופנהיים כנראה להזכיר את תרומת היהודים למלחמה, ואת חובה של המדינה להם שלא כובד. העובדה שיהודי נסיכות באדן בחרו דווקא בתמונה זו לתתה מתנה לגבריאל ריסר, הלוחם הנמרץ וחד־הלשון לזכויות אזרח ליהודים, מוכיחה, שכוונותיו של אופנהיים הובנו היטב בקרב עמו.

גבריאל ריסר, ידידו הטוב ביותר של אופנהיים, העריך מאוד את המתנה.[18] יחסי הידידות הקרובים בין שניים אלה מוצאים את ביטוים בכמה מכתבים, שהיו בעזבונו של אופנהיים, המתפרסמים כאן לראשונה כנספח לקטלוג. המכתבים מדגימים את הסגנון המפורט וה"מסולסל" של כתיבת מכתבים, שטופח במאה הי"ט. הודות לידידותו של ריסר, נפגש אופנהיים עם אישים רבים מן התנועה הרפורמית היהודית הגרמנית וקיבל מהם הזמנות רבות. הרפורמים נהנו מתמיכה חזקה בפרנקפורט, וכן בהמבורג, העיר שבה ריסר נולד וחי מ־1840. אולם אין בידינו שום עדות לכך שאופנהיים עצמו היה פעיל בתנועה זו.

בין ש"שובו של המתנדב" היה בבחינת הצהרה פוליטית מוסווית ובין שהיה סימן ראשון להתעניינותו הגוברת של אופנהיים בעניינים יהודיים, על כל פנים, זוהי דוגמה מוקדמת לסגנון תמונות ההווי שלו. בעשרות השנים הבאות צייר אופנהיים תמונות הווי לא יהודיות רבות, שאחדות מהן כלולות בתערוכה זו. גם תיאורים של מאורעות כביכול־היסטוריים, כגון "לאוואטר ולסינג מבקרים את משה מנדלסון" או "פליקס 5.III (עמ' 20ע)
מנדלסון מנגן באוזני גתה", נעשו לעתים על דרך תמונות הווי.

בעשרים השנים האחרונות לחייו הקדיש אופנהיים את עיקר מאמציו לסדרה "תמונות מחיי משפחה יהודית מסורתית". ככל שניתן ללמוד מן המכתבים, עם חלוף השנים, הפכה שמירת המצוות לגורם חשוב יותר בחייו. ייתכן שההתבוללות הגוברת והמרת־הדת שהחלה נפוצה בקרב חוגים רחבים ביהדות גרמניה גרמו לו דאגה ועוררו אותו לקחת על עצמו את המשימה. התמונות בסדרה זו הן בעלות אופי אחיד, למרות שתקופת יצירתן משתרעת על פני שנים רבות. כפי שניתן ללמוד מן התלבושות, הועברו האירועים לתקופה מוקדמת יותר; אך, אף כי פירושו של דבר, שמתוארים בהם החיים בגטו, אין להתעלם מכך שעידן האמנסיפציה חדר לבין החומות. האנשים לבושים כמו שכניהם שמחוץ לגטו, בתיהם מרוהטים באותה צורה ותמונתו של פרידריך הגדול מלך פרוסיה, התלויה על הקיר, מורה על יחס הכבוד לשלטון החילוני. הסצינות מקרינות אווירה של נינוחות והרמוניה. הנטייה הבולטת לאידיאליזציה של תנאי החיים מבטאת את תחושת הנוסטלגיה, ששלטה באמן בזקנותו.

כמנהגו, ביצע אופנהיים עבודת־הכנה נרחבת לציורים, כפי שיעידו רישומי המודל הרבים. סביבת חייו־הוא שימשה לו כמודל. זאת ניתן לראות, למשל, על־פי בית הכנסת הישן של פרנקפורט, המופיע בתמונת החתונה, 10.III (עמ' E3)
ועל פי תשמישי־הקדושה הרבים המפוזרים בסצינות השונות. הוא השתמש, כנראה, גם באנשים מסביבו כמודלים. במקרה אחד, על־פי המסורת שבידינו, הרב בתמונה "ברכתו של הרב" הוא רבה של האנאו, (עמ' E53)
זונטהיים[19] והילד הוא כנראה אופנהיים עצמו. הציורים התקבלו בעניין רב. למעשה היתה תגובת הציבור חיובית כל־כך עד שהמו"ל, היינריך קלר מפרנקפורט, החליט להוציא לאור מהדורה של רפרודוקציות מצולמות. כאשר התברר בהדפסה הראשונה שהתוצאות אינן משביעות־רצון, מפני שטכניקת הצילום, שהיתה עדיין בחיתוליה, לא הצליחה להעביר היטב את הערכים הצבעוניים, העתיק אופנהיים את התמונות בגריסאיי (גוונים של אפור), כדי להקל על הצלם. ששת התצלומים הראשונים נדפסו ב־1866, ובמשך הזמן צורפו תמונות נוספות. המוצר הסופי, כרך גדול המכיל עשרים לוחות והקדמה מאת הרב ליאופולד שטיין, הופיע ב־1882 וזכה לתשבחות בחוגים היהודיים ברחבי העולם.[20] נוסף לכך, ידוע שאופנהיים יצר מספר רב 12.IV
של העתקים מן הציורים המקוריים, לפעמים בשינויים קלים, כדי לספק את דרישת הקהל. אין אנו יכולים לקבוע היום כמה פעמים חזר על תמונה זו או אחרת. יצירתו האחרונה של הצייר, שנשלמה אך זמן קצר לפני מותו, היתה העתק גדול של "החתונה". איכותן של התמונות אינה אחידה. לא זו בלבד שהגריסאיי נופל, לעתים קרובות, מן הגרסה הצבעונית, אלא גם בין ציורים אלה לבין עצמם אפשר למצוא הבדלים באיכות, ככל הנראה בגלל החזרה התכופה על הנושא. אך אין להתכחש לכך, שה"תמונות מחיי משפחה יהודית מסורתית" הביאו לאופנהיים תהילה עוד בחייו.

הצלחתו של אופנהיים השפיעה על אחרים ללכת בעקבותיו, כגון הצייר איש פרנקפורט הרמן יונקר, שתמונותיו, המתארות סצינות יהודיות, קרובות לאלה של קודמו אופנהיים.

פרסומו של אופנהיים נמשך גם אחרי מותו. ב־1900 ערכה ה"קונסטפראיין" (אגודת האמנות) של פרנקפורט תערוכת־זכרון גדולה לרגל מלאות מאה שנה להולדתו. למעלה משליש מבין 142 פריטי הקטלוג היו דיוקנאות, אשר בעיני המומחים נחשבים להישגו החשוב ביותר. כדברי אחד מהם: "מ"ד אופנהיים, בדיוקנאותיו העדינים והאציליים, עולה במידה כזו על הממוצע בפרנקפורט, עד כי העובדה שלא היה ידוע כלל עד עכשיו ניתנת להסבר רק בכך שהציורים היו מצויים בידיים פרטיות."[21]

במסגרת "תערוכת המאה" המפורסמת, שערך ב־1906 הוגו פון טשודי, מנהל הגלריה הלאומית של ברלין, תערוכה שנשאה את השם "אמנות גרמנית, 1775-1875", יוצג אופנהיים בשני דיוקנאות.[22] זמן קצר לאחר מכן פרצה מלחמת העולם הראשונה, ושמה בחטף קץ לתקופה שבמהלכה הגיעו לשיא פריחתם ציירים כמו אופנהיים. האמנות הגרמנית של המאה הי"ט, ועמה גם מוריץ אופנהיים נשתכחו. הם זכו לתחייה רק בשנים האחרונות, הודות להתעניינות גוברת והולכת בתקופה, לאחר שנים רבות של התעלמות וזלזול.

אפשר שאופנהיים לא היה מן הדמויות הבולטות ביותר של אותה תקופה, אך הוא ראוי בכל זאת להיזכר. בדיוקנאותיו האוהדים של אישים ידועים ובתיאוריו הנאמנים את החיים ואת המנהגים של בני־דורו, קנה לעצמו אופנהיים את מקומו כפרשן מוכשר, אשר שימר מידע חשוב למען הדורות הבאים. כמי שנולד ברגע מכריע בתולדות יהדות גרמניה, עומד אופנהיים בין שני עידנים — עידן הדיכוי ועידן האמנסיפציה. נסיונותיו הכנים למזג את המסורת ואת הערכים של עמו עם אלה של החברה שבתוכה מצא את עצמו בצאתו מחוץ לגטו, הביאו לו הצלחה אישית וכבוד. בדרכו שלו עומד מוריץ אופנהיים כנציג נאמן וראוי של תקופה רבת־משמעות בתולדות יהודי גרמניה.

אלישבע כהן

1 מתנת נכדו של האמן, אלפרד אופנהיים, לונדון, באמצעות מר ארתור קאופמן וידידי מוזיאון ישראל באנגליה.

2 קשה לקבוע את יום־הולדתו המדויק של אופנהיים. לפי ה"זכרונות" שלו, הוא נולד בלילה שלאחר צום העשירי בטבת. בשנת 1800 חל לילה זה בין ה־7 ל־8 לינואר. אך התאריך המופיע ברישומי הארכיון העירוני של פרנקפורט הוא ה־20 בינואר.

3 Moritz Oppenheim, *Erinnerungen,* Frankfurter Verlagsanstalt A.G., Frankfurt am Main, 1924. Reprint: Verlag Darmstädter Blätter, Darmstadt, Neue Reihe Judaica, Vol. 13.
ראה אור בתרגום עברי: מוריץ אופנהיים, **זכרונות,** מוסד ביאליק, ירושלים, תשי"א.

4 **זכרונות,** עמ' 65 (מספרי העמודים, כאן ולהלן, הם לפי ההוצאה המקורית הגרמנית).

5 שתי התמונות מצויות במוזיאון ואלראף־ריכרדס, קלן.

6 סדנתו של הפסל שמידט פון־לאוניץ, 1852, מכון שטדל לאמנות, פרנקפורט ע"נ מיין.

7 מכתב מאת אופנהיים לפסאוואנט, מתאריך 11 בפברואר 1835, הארכיון העירוני, פרנקפורט ע"נ מיין.

8 זכרונות, עמ' 68-69.

9 זכרונות, עמ' 41.

10 המוזיאון היהודי, ניו יורק, מתנת מר ג'ורג' זליגמן.

11 ראה Alexander Dietz, *Stammbuch der Frankfurter Juden,* Frankfurt am Main, 1907, p. 223, no. 436.
יחסו החוסה של שמעון לא פג במשך השנים. במכתב לפייט ושות' בברלין הוא כותב ב־19 ביולי 1843: "בזה אני מרשה לעצמי להציג לפניך את אחי, פרופסור מ' אופנהיים. הוא מתכוון לבלות ימים מספר בעירך היפה כדי לבקר את ידידיו, ביניהם אמנים רבים. במקרה שיפנה אליך בכל עניין שהוא, או יהיה זקוק לכסף, תוכל לתת לו על חשבוני כל מה שיבקש. אין לדעת, הן לאמנים יש לפעמים קפריזות משונות."

12 ראה את חוזה הנישואים בין מוריץ אופנהיים לפאני גולדשמידט, מתאריך 7 בנובמבר 1838.

13 הארכיון העירוני, פרנקפורט ע"נ מיין. אני אסירת תודה לדר' דיטריך אנדרנאכט על שאיפשר לי להשתמש בחומר שבארכיון.

14 במכתב מאת ל' למברט, בריסל, לבארונית שרלוטה דה רוטשילד, מתאריך 7 באוגוסט 1857, נזכרים המאמצים שעשתה הבארונית, אם כי ללא הצלחה, להניע את הממשלה הבלגית להעניק אות־כבוד למורה לשעבר.

15 Mrs. James de Rothschild, *The Rothschilds of Waddesdon Manor,* Collins, London, 1975, p. 11.

16 דיוקנה של גודולה פון רוטשילד היה לפנים במוזיאון רוטשילד בפרנקפורט.
ראה *Katalog der Sammlungen des Rothschild Museums,* Mitteilungen der Gesellschaft zur Erforschung Jüdischer Kunstdenkmäler, Notizblatt 28, 1931.

17 במכתב מאת היינריך היינה לכריסטיאן שאד, המו"ל של *Deutscher Musenalmanach,* מתאריך 26 באפריל, 1853, נאמר: "מתוך דיוקנאות ישנים יותר, אני מכיר רק הדפס־אבן שנדפס ב־1831, על־פי רישום של אופנהיים. אם כי הוא לא זכה למחמאות רבות, אפשר לשבחו על דמיונו לנושא, אני ממליץ עליו."

18 לפי מכתב מאת גבריאל ריסר למוריץ אופנהיים, מתאריך 9 בינואר, 1844.

19 הרב משה טוביה זונטהיים שימש כרבה של האנאו בשנים 1796-1830.

20 האלבום ראה אור גם במהדורה אנגלית: *Pictures of Traditional Jewish Family Life,* introduction by Alfred Werner, New York, 1976.

21 Paul Ferdinand Schmidt, *Biedermeier Malerei,* Delphin Verlag, München, 1923, p. 69.

22 דיוקנאותיהם של לודביג ברנה וברנהרדינה פרידברג, אחייניתו של האמן.

Sein Auge war
nicht dunkel
worden
Und seine Kraft
war nicht
entflohn
V. B. Mos.
Cap. 34

14.II

9.III

האמנות כהיסטוריה חברתית: אופנהיים וחזון האמנסיפציה של יהודי גרמניה

א

ההצלחה המסחרית המדהימה של סדרת הציורים של מוריץ אופנהיים "תמונות מחיי משפחה יהודית
מסורתית" מעוררת עניין רב בהיסטוריון. הסדרה כולה, העשויה תמונות גריסאיי (גוונים של אפור)
המתארות את הטקסים הדתיים העיקריים שהיו מקובלים בגטו בגרמניה על סף האמנסיפציה, מתחלקת
לארבעה נושאים כלליים — מעגל החיים (6), השבת (5), החגים (6), והחיים מחוץ לגטו (3). בעידודו של
המו"ל הפרנקפורטי, היינריך קלר, פרסם אופנהיים לראשונה בשנת 1866 שש רפרודוקציות מצולמות בלוויית 12.IV
טקסט מאת הרב הרפורמי ליאופולד שטיין. לאחר שנתיים, הכילה כבר ההוצאה 14 תמונות, וב־1874 גדלה
ל־18. עם הכללת התמונות "חנוכה" ו"שבועות" ב־1881 הושלמה הסדרה לעשרים תמונות, ויצאה במהדורה 30.III (עמ' 31ע)
מהודרת בשנת 1882 בידי קלר. במשך ארבעים ושמונה השנים הבאות זכתה הסדרה לתפוצה ייחודית. הספר
נדפס בארבע מהדורות שונות וייתכן שראוי הוא להיחשב הספר היהודי הפופולארי ביותר שפורסם אי־פעם
בגרמניה. הסדרה עצמה הופצה בקרב רבים גם על ידי מכירה המונית של גלויות, צלחות בדיל וחרסינה
מעוטרות בתמונות הסדרה.

המעיין בתולדות יהדות גרמניה ערב מלחמת העולם הראשונה, נתקל בגילויים מועטים הנותנים ביטוי נאמן להשקפת הרוב הדומם של הציבור. נראה על כן שסדרת המשפחה מהווה תעודה ייחודית, כי בה מתגלית מקצת התחושה של יהדות גרמניה כלפי האמנסיפציה; הסדרה, המתובלת בנוסטלגיה דתית ובמשמעות פוליטית, היתה דרכו של אופנהיים להביע מסר פוליטי. כוונתו החברתית־פוליטית של אופנהיים מתבהרת עוד משלושה מקורות בני הזמן שיידונו להלן.

המקור הראשון, זה שחובר בידי ליאופולד שטיין, משלב את הכבוד לפאתוס של ההיסטוריה היהודית עם הערצה לעקרונות היהדות. שטיין כאופנהיים היה תושב פרנקפורט וכיהן בה ברבנות עד שהתפטר ב־1862 לאחר סערה ציבורית. פרשנותו של שטיין לתמונותיו של אופנהיים צורפה לסדרה הראשונה והיא משלימה בצורה מופלאה את אמנותו של אופנהיים, עד שיש מקום להניח ששטיין פעל כיועצו של האמן בצדדים הטקסיים של עבודתו. התוצר הסופי של שילוב זה הוא מעין ספר־יסוד של היהדות, שנועד לנוצרים וליהודים.

המקור השני הוא דברי הערכה לאופנהיים שנתחברו בשנת 1854 בידי גבריאל ריסר. במחצית הראשונה של
המאה הי"ט התבלט ריסר כנציגה הפוליטי של יהדות גרמניה, וכאדם שאינו נרתע מלעמוד על הזכות
לאמנסיפציה ללא כניעה דתית. לראשונה נקשרו שני אישים אלו ב־1835 כאשר יהודי באדן העניקו לריסר את
תמונתו של אופנהיים "שובו של המתנדב" מתוך הוקרה על פעולתו למענם. התמונה שיקפה יפה הן את 9.III (עמ' 24ע)
ה"אני מאמין" של ריסר, שאין סתירה בין נאמנות לדת לבין נאמנות למולדת, והן את תחושותיו הפנימיות
של אופנהיים. במשך השנים הלך והתהדק הקשר בין שני האישים. בשלהי 1838 צייר אופנהיים בשמן את
דיוקנו של ריסר, והשניים נשארו בקשרי מכתבים במשך השנים הבאות (ראה להלן, עמ' 40-49). ההתכתבות
האינטימית משתקפת בדבריו החמים של ריסר על חברותם ב־1854. באותו מקום העלה ריסר על נס את
אופיו היהודי של האמן שהעמיד את אמנותו בשירות אמונתו. בניגוד לאמנים יהודים לפניו ובזמנו, לא זנח
אופנהיים את שורשיו ושאף על דרך האהבה והלויאליות לבטל את הדעות הקדומות הנפוצות על היהדות.
אמנם עד לאותה שעה עשה אופנהיים אך מעט בתחום היהודי, אך ייתכן שדבריו של ריסר דרבנו אותו
ליצירותיו הבאות; כעבור שנתיים סיים את תמונתו הידועה, "לאוואטר ולסינג מבקרים את משה מנדלסון", 5.III (עמ' 20ע)
ובראשית שנות הששים היה כבר עסוק בהכנת תמונות שמן אחדות מתוך סדרת המשפחה.

פעילותו האמנותית של אופנהיים בשנות הששים מהווה המשך ישיר להתעניינותו היהודית ואיננה פריצת דרך חדשה. זכרונותיו, שחוברו בשנת 1880 ופורסמו לראשונה בידי נכדו ב־1924, הם עדות לדבר, והם המקור השלישי המעיד על עמדתו הציבורית. הזכרונות מגלים אמן בעל תחושה ערה ליהדותו, שהחליט להקדיש חלק נכבד מתרומתו האחרונה לענייני דת ולא לענייני אמנות. חייו תוארו מזווית־ראייה יהודית, ומזווית זו היא מאירה על אמנותו.

ב

פרט ביוגרפי יוצא־דופן בחייו של "האמן היהודי הראשון" בגרמניה טמון בעלייתו הדראמטית מהגטו של
7.V (עמ' E62) האנאו, שבו נולד ב־1800, עד לקבלת תואר פרופסור לשם כבוד מטעם הדוכס הגדול מווימר ב־1827 (בהמלצתו של גתה) בלא לעבור את שערי בית־הטבילה. בעשרות השנים הראשונות של האמנסיפציה החלקית, מעטים היו היהודים הכשרוניים שהיו נכונים לוותר על האפשרויות המקצועיות שההמרה יכלה להציע. לרבים, כמו לאברהם מנדלסון, שהיה החוליה המקשרת בין הפילוסוף המפורסם למלחין הידוע, נתרוקנה משמעותה של הדת עד אשר יכלה ללבוש כמעט כל צורה טקסית. לאמנים היהודיים השאפתניים הבטיחה ההמרה את שכרם הראוי. אדוארד מגנוס ואדוארד בנדמן התנצרו בשלבים שונים של חייהם, והאחרון עשה צעד זה בשנה שעמד בין שתי יצירותיו המבטאות את השקפתו על סופה של ההיסטוריה היהודית ("יהודים אבלים על נהרות בבל", 1832, ו"ירמיהו לנוכח הריסות ירושלים", 1836). תמונות ידועות אלה מבטאות לא רק את החורבן והגלות אלא מעניקות לשנת 587 לפני הספירה משמעות של סופיות בפירוש נוצרי.

לעומתם, בחר אופנהיים לראות בחיוב את ההיסטוריה היהודית והפך לנציג נאמן של הדת שסירב לנטוש. כמו משה מנדלסון וגבריאל ריסר לפניו, אופנהיים היה נכון לנצל את כישוריו המקצועיים בהגנת עקרונותיו הדתיים. הזיקה בין אמונת־האבות ויצירה תרבותית מהווה את החוט המקשר בזכרונותיו; הוא מודע לכך שאמנותו מבטאת מסר היונק מתחושותיו הדתיות, תחושות שצמחו בו בילדותו. משפחתו, כפי שהיא מצטיירת בזכרונותיו, היא משפחה יהודית אמידה שאיננה זונחת את מורשתה. מתוך מעט האינפורמציה שבידינו על מצבה הכלכלי ניתן להסיק, שאורח־החיים הבורגני המובהק המתואר בסצינות המשפחתיות של הסדרה משקף את רמת־החיים בבית הוריו. הרי אין ספק שאופנהיים ידע יפה לחזור בחופשיות רבה
28.III (עמ' E37) לזכרונות ילדותו כדי לפרנס את אמנותו. כך צמח הציור על החדר שבו למד בגטו ("החדר", 1878) שנמצא לו תיאור מדויק, מלבב ואירוני בזכרונותיו.

באופן כללי, תמונותיו של אופנהיים מעוגנות באווירה הדתית שספג בילדותו. הקצב והאתוס של היהדות המסורתית שלטו בכיפה בביתו וברחוב. אמו, אשה אדוקה והגונה, היתה הדמות שעיצבה אותו בצעירותו, והיא אשר קבעה את אורח־החיים הדתי בבית. הערצתו אליה לא פגה כל חייו, ובזכרונותיו נתן דרור להרגשותיו במלים נוגעות ללב. צלה של אמו מרחף על הדמויות הנשיות המסורות המופיעות בסדרה.

ילדותו של אופנהיים בהאנאו עברה בתקופה של שינויים מרחיקי־לכת בחיי היהודים בגרמניה. תהליכי האמנסיפציה וההתבוללות הטביעו חותם על משפחתו, אולם השחזור של השנים הללו בזכרונותיו מעלה תמונה שלווה של משפחה שהצליחה להתאקלם בטבעיות רבה בחיים החדשים, אך בלא לנטוש את חייה המסורתיים. אופנהיים אינו פוסח על החששות מפני היציאה מן הגטו. הוא מתאר עוינות הילדים הנוצריים כלפיו בשעת שיעורי הקליגרפיה הגרמנית, ומזכיר את האיסור שהטילו עליו הוריו לבל ישחק עם ילדים מחוץ לגטו. ובכל זאת לא נרתעו הוריו מלשלוח אותו ללמוד בגימנסיה, כדי להכשירו ללימודי רפואה, ולא העמידו בפניו קשיים לכשגילה נטיות ברורות לציור. תחושת ההארמוניה בין העולם היהודי והעולם הגרמני שספג בבית הוריו הפכה לסימן־ההיכר של אופנהיים כאמן יהודי.

אם לקבל את האוטוביוגרפיה שלו כמהימנה — ויש לזכור שהיא לא נועדה לפרסום — מתברר שבכל התחנות השונות של חינוכו כצייר נשאר אופנהיים דבק ביהדותו ובגרמניותו. עוד בהאנאו למד אמנות אך הקפיד בשמירת כשרות, ועל כך זכה לשבח מפי חלק ממשפחתו ולבוז מצד אחיו הבכור. נאמנותו של
1.I (עמ' 8ע) אופנהיים למסורת היהודית מתגלית גם בצורתו החיצונית, לפי הדיוקן העצמי, השייך אולי לתקופה זו בחייו. גם בתחנתו השנייה במינכן, דאג אופנהיים להתאכסן באכסניה יהודית כשרה. כאן התחיל לצייר דיוקנאות לשם פרנסה, אך נמנע מלצייר בשבתות. אופנהיים מגלה שבשעת שהיותו במינכן קיבל מכתב ארוך מאחיו הרץ, שהיה כתוב כולו גרמנית באותיות עבריות ששימח אותו מאוד. גם בפאריס, שבה למד חודשים אחדים בסדנתו של ז'אן באטיסט רינו, לא חלו שינויים מרחיקי־לכת בהליכות חייו, אף שהצליח להתגבר על רתיעתו מפני ציור מודלים ערומים.

השלב המכריע בהתפתחותו האמנותית של אופנהיים היה שהותו בת ארבע השנים ברומא (1825-1821), שאז הושפע מאסכולת הנצרנים הגרמניים ובמיוחד מאוורבק, שעבודותיו הלהיבו אותו במשך תקופה ארוכה. אך גם ברומא לא נפתה אופנהיים אחר נפלאות העיר ואחר דבקותם הדתית של הנצרנים ולא נלכד בקסמי החברה הגרמנית הגבוהה. היה זה דווקא הגטו הישן ברומא שעורר את דמיונו והוא הרבה לבקר בו, כדי לעמוד על המנהגים השונים ולאכול בשבתות בקרב עמו. נסיונות הנצרנים להעבירו על דתו היו לשווא ואך

18.III

12.IV סוכות
Sukkot

35.III

31.III

30.III

חיזקו את אמונתו היהודית. הוא העדיף את האווירה הפשוטה והאינטימית של בית התפילה היהודי על תפארת הכנסיות. גם בהוודע לו על מות אמו חש לגטו כדי לשבת "שבעה" בין בני דתו.

במשך שנת האבל עקר לזמן־מה מרומא לנאפולי ושם דאג למצוא מניין לקדיש. בנאפולי גם פגש את הבארון קארל מאיר פון רוטשילד והקשרים שיצר עמו עתידים היו לימים להפוך את אופנהיים לצייר ולמומחה לאמנות של הרוטשילדים מפרנקפורט. ב־1825 השתקע אופנהיים בפרנקפורט ולימים נודע כ"הצייר של הרוטשילדים והרוטשילד של הציירים".

תיאור ביוגרפי זה בא להאיר את חלקה השני של אמרה זו. להיות "רוטשילד של הציירים" משמעו להיות ראש וראשון בתחום עיסוקו, ברם מעבר לזאת מרמז הוא גם על כך שההצטיינות והפרסום לא באו על חשבון הדת. הגאווה באבותיו ובמוצאו נשארה, כמו אצל הרוטשילדים, אף אם קיום המצוות התרופף. אם גם אופנהיים לא הקפיד בקלה כבחמורה, יש להדגיש, כדברי ידידו ומספידו פרדיננד הילר, שהיהדות מילאה תפקיד חשוב (עמ' E18) 16.I בחייו. הקשר שלו ליהדות היה בעיקר רגשי, ונשאב מילדותו ומזיקתו להוריו. בסדרה "תמונות מחיי משפחה" מוצג הבית היהודי בקדושתו ודרכו הביע אופנהיים את מרכזיותו בעיצוב הרגש הדתי, מבחינה אוטוביוגרפית והיסטורית.

ג

הסדרה "תמונות מחיי משפחה" איננה יצירה תמימה, אלא מלאכת־מחשבת של האמן. כותרת הסדרה עצמה מצביעה על הדומינאנטיות של המשפחה, ואכן 13 מתוך 20 סצינות עוסקות בקיום היהדות באווירה המשפחתית. כבר ב"שובו של המתנדב" עמד הבית היהודי במרכז, לשביעות־רצונו המלאה של מקבל (עמ' 24ע) 9.III התמונה, ריסר. נטייה זו קיבלה חיזוק נוסף מצד אחר — הטעם התרבותי של הבורגנות הגרמנית בשנות השישים למאה הי"ט, כפי שמעידה גם פריחת השבועון הגרמני "גארטנלאובה" שנועד לכל בני המשפחה והעלה על נס את המסגרת המשפחתית. יתרה מזו, המשפחה היהודית נראתה בעיני תומכיה ואויביה של היהדות כגורם מכריע בהבנת התפתחותה ההיסטורית והדתית של היהדות. הצבת המשפחה היהודית במרכז הסדרה התאימה אפוא בהחלט לרוח התקופה.

המשפחה המסורתית היתה חדורת אהבה ללימוד. אופנהיים מראה לנו את הכבוד שרחשו לספרי הקודש: אנשי הקהילה מעיינים בהם אחר התפילות, הצעירים נבחנים על פיהם באווירה משפחתית, ואף הנשים שוגות בהם. אופנהיים דחה את הביקורת החד־צדדית של אנשי ההשכלה על החברה היהודית ובמקומה הציג חברה בעלת תרבות אף אם אינה מצויה בתרבות העולמית. הירושה ה"מזרחית" של היהדות היתה זרה לתחושות המערביות, אך רחוקה מלהיות פרימיטיבית.

האשה היהודיה עמדה במרכז המשפחה, ולזכותה יש לזקוף את אווירת האצילות וההארמוניה שציינה את הבית היהודי. היא זוכה לתיאור נשגב בידיו של אופנהיים. שלא כמו אנשי הרפורמה, כאברהם גייגר למשל, סבר אופנהיים שחוסר השוויון בחיים היהודיים לא הוריד מערכה הדתי או ההיסטורי של האשה. ואכן, בתמונה "שובו של המתנדב" היא ניצבת בלב לבה של ההתרחשות המשפחתית.

אם המשפחה היתה חיונית להמשך קיומה של היהדות ולשמירת עקרונותיה המוסריים והטקסיים, אליבא דאופנהיים היא שימשה מוקד להפצת ערכי המוסר הנעלים של היהדות. קדושת הנישואין היתה מעוגנת בדבקות דתית וביחס של כבוד הדדי וחיבה; מטרת הנישואין היתה להוליד ילדים, ואכן רבים הם הילדים המופיעים בתמונותיו. רק בתמונה אחת, "יאהרצייט", נעדר הילד היהודי, מסיבות מובנות. ככלל, הילדים (עמ' E48) 20.III הם חלק אינטגראלי של הטקסים היהודיים והם מקור נחמה, כי הם מסמלים את עתידה של היהדות. הרגישות שבה תיאר אופנהיים את הקשר לילדים מתגלה גם ביחס לאנשים שאינם מבני המשפחה הקרובה. הופעתו החוזרת של היהודי הפולני בתמונות שונות ("ליל שבת", "שבת אחרי הצהריים", "צאת השבת", (עמ' 34ע) 19.III "פסח") מסמלת את הפתיחות והכנסת־האורחים המאפיינת את הבית היהודי. הנער הגרמני היחף זוכה ליחס הוגן מצד הנער היהודי ("הרוכל הכפרי"), כי זהו צו המוסר היהודי. אופנהיים אינו נכנע לביקורתם של (עמ' E50) פילוסופים שונים על הדת היהודית (קנט, למשל) ועל עקרונותיה המוסריים (מוריץ לזרוס, הרמן כהן וכו'), ועבודתו מחזירה את היהדות למעמד של דת בעלת סגולות מוסריות. מול אלו שגרסו שהיהדות היא "פולחן מיכאני", מציג אופנהיים את קיום המצוות ברוח חיובית, שאין עמה שעמום ושעבוד. הרוחניות האופפת את תמונותיו מגיעה לשיאה בתיאור הרגעים האחרונים לפני תחילת יום הכיפורים (בתמונה "כל נדרי"). (עמ' E64)

אופנהיים נגע, אגב אורחא, גם בנושאים אחרים בעלי עניין לבני־זמנו. האמנסיפציה לא טשטשה את הקשר בין היהודים והאחווה היהודית מופיעה בצורות שונות בעבודותיו: אם בציור קופסת־צדקה למעות א״י, אם בדמות האורח הפולני, ואם בדמות השליח מארץ־ישראל. אופנהיים גם הבליט את דעתו בקשר לטקסים יהודים שונים השנויים במחלוקת. סצינת ברית־המילה הפותחת את הסדרה צוירה תוך התחשבות ברגישויות של בני־דורו, שרבים מביניהם סלדו מן ״הטקס הפרימיטיבי״ ונימקו את דעתם בטעמים רפואיים ואסתטיים. בניגוד לפיקר (אמצע המאה הי״ח), שלא חס על בני תקופתו והבליט את הטקס עצמו, העדיף אופנהיים להראות את בית־הכנסת ולהפנות את תשומת הלב לנעשה לפני בואו של התינוק לטקס. בכך הדגיש את אופיה הדתי והציבורי של ברית־המילה ולא נכנע לגמרי למערערים על פולחן זה. כך עשה גם ביחס (עמ' E42) לטקס ברית הנישואין. שוב בולט ההבדל בין תיאורו הרציני את הטקס לעומת הגירסה של פיקר, ולעומת אלו 10.III (עמ' E3) מבני־זמנו שראו בנישואין עניין אזרחי גרידא, חסר משמעות דתית כלשהי. אופנהיים פנה אל יהודים גרמניים שנאלצו להגן על זכותם להישאר שונים, והוא הציע להם, באופן דידקטי, את עולם הגטו במלוא תפארתו ובמלוא חיוניותו. ברוח השיר ״שבת הנסיכה״ של היינה, צייר אופנהיים את הגטו כמקלט של תרבות וקדושה בעולם בלתי־תרבותי, מעין נאות־מדבר שאליו חוזר היהודי מעמלו בעולם עוין להשיב את נשמתו לגופו. בהערתו ל״רוכל הכפרי״ נגע שטיין בעניין זה: ״בגטו שבו נכלאו ונהפכו לאסירים עירוניים כל לילה, הם היו בעצם חופשיים ונהנו מהתרוממות־הרוח שבאה מתחושת ערכם העצמי.״ הגטו, לפי אופנהיים, היה ספוג ערכים בורגניים ותחושת עליונות, ובסגירת שעריו הסתגרו מפני אורח־חיים נחות יותר. הצגת הגטו של טרם־אמנסיפציה באור כזה, היתה צעד של טיהור והתפייסות מצד אופנהיים. בכך כאילו הודיע ליהודי גרמניה, שבינתיים רחקו מן הגטו כדי דור או שניים, שאין בושה בשורשיהם אלא גאווה, שהחוויה של הגטו איננה צריכה להוות אות קלון אלא נכס יקר.

הסדרה נפתחת בגטו של המאה הי״ח ומסתיימת בימי האמנסיפציה של המאה הי״ט. שלוש התמונות (עמ' E50), 20.III האחרונות (״הרוכל הכפרי״, ״יאהרצייט״ ו״שובו של המתנדב״) עוצבו כנראה בשקידה ונבחרו מתוך כוונה (עמ' E48) לחזור על תיזה עיקרית של הסדרה כולה: התאמת היהדות לדרישות האזרחיות. תמונות אלו עוסקות 9.III (עמ' 24ע) ביציאתו של היהודי מן הגטו ומציגות אותו כמי שמסוגל להיכנס לחברה הכללית ולתרום לה תרומה חיובית. כך יוצא לדרכו הרוכל היהודי — הוא מנשק את מזוזת־ביתו בעוד בנו מטפל בנער הנוצרי הנזקק. העובדה ששני המעשים בוצעו בעת ובעונה אחת, על סף הכניסה לעולם החיצון, מסמלת את חוסר הקונפליקט בין שני סדרי ההתחייבויות. אולם, בעולם המודרני היה שדה־הקרב המבחן העליון להתאמתו של היהודי. החל מן הסנהדרין בפאריס, ב־1807, הדגישו מנהיגים יהודים שאין החובות הדתיות מגבילות את פעילותם הצבאית של היהודים ואף היו ששחררו חיילים מחובות שמירת השבת. שתי תמונותיו של אופנהיים הנוגעות בנושא זה הבליטו את היכולת לקיים את הנאמנות לדרישות הצבא בלא לפגוע בנאמנות לדת.

אופנהיים מראה לנו את חזון האמנסיפציה שלו באמצעות תפילת יום־השנה שנערכה בעיצומה של מלחמת צרפת־פרוסיה. ליהודים יש זכות לקיים מנין אף באמצע המלחמה, כי האזרחות אינה תובעת ביטול חירות הדת. השקפתו של אופנהיים, שזכתה לתשומת־לבנו כאן, אינה ייחודית לו ולגבריאל ריסר, אלא היתה נחלת יהדות גרמניה במחצית השנייה של המאה הי״ט. רוב התמונות שבסדרה הושלמו בעשור השישי למאה, שבו הלכו והוסרו ההגבלות האחרונות על האמנסיפציה היהודית, והאופטימיות של התקופה מזדקרת מבעד לסדרה. ברם יש לזקוף חלק מן הפופולאריות הרבה של הסדרה להתעוררות האנטישמיות בגרמניה בשלהי שנות השבעים. לא מקרה הוא שדווקא בשנות השמונים, עם התרופפות הבטחון באמנסיפציה, יצאו שתי מהדורות של הספר; עצה שניתנה בעשור של תקווה, שאין משיגים שוויון פוליטי על־ידי התאבדות דתית, נהפכה לנחמה לעשור של אפלה. הסדרה של אופנהיים הפכה אפוא לאוצר חדש במאבק על שמירת הזהות היהודית.

מקור חיצוני אחר, השואב גם הוא מן האיקונוגרפיה היהודית, מחזק פירוש זה למגמותיו של אופנהיים: זמן־מה לאחר מלחמת צרפת־פרוסיה יצר אמן אנונימי מפת־מזכרת של תפילת יום כיפור שקיימו חיילים (עמ' E55) יהודיים בצבא הגרמני בחוצות מץ הכבושה. בפינות המפה מתואר המאורע ומוזכרת השתתפותם של כ־1200 חיילים יהודיים; לאורך המסגרת כתובים דברי הנביא מלאכי: ״הלוא אב אחד לכולנו הלוא אל אחד בראנו״ (ב:ו) בעברית ובגרמנית. בדיקת המקורות הספרותיים לאירוע זה חושפת אמת אחרת לגמרי. נכחו בו כ־150 חיילים בלבד, והתפילה נתקיימה ללא ספר תורה. אך המשמעות ההיסטורית של האירוע אינה קשורה למידת ההשתתפות, אלא טמונה בהענקת זכות רשמית לקיום מצוות היהדות. על ידי הפרזה ועיבוד חופשי של פרטי המאורע, יצרה המפה מיתוס בעל סימבוליות פוליטית: היא הציגה באופן חי את היקף הנאמנות היהודית למולדת הגרמנית ודיווחה על המספר הגדול של המשתתפים חיזק את אופיו הרשמי של האירוע

19.III

ובישר את היחס השוויוני של השלטונות הגרמניים לדת היהודית. ולבסוף, המפה הדגישה חזון אמנסיפציה שאיפשר שמירתן ופיתוחן של נאמנויות יהודיות. אם בשדה־הקרב לא נדרש היהודי לוותר על דתו, על אחת כמה וכמה אין לצפות זאת ממנו בחברה האזרחית. הצירוף של הפסוק ממלאכי והצגת שורת חיילים נוצריים המתבוננים בנעשה, ביטא את החזון של אחדות אזרחית תוך שוני דתי.

תמונותיו של אופנהיים והמזכרת ממץ משקפות את הדרך הארוכה שעשתה יהדות גרמניה מאז העמדה הנכנעת של הסנהדרין הצרפתית. כעת עמדה על הפרק הזכות לשמור ולא הצורך לוותר. הכבוד העצמי התחיל דוחק הצידה את הפחד. המאבק המתמשך להתערות ולשוויון הוליד חזון של אמנסיפציה שיצק מסגרת להמשך הקיום היהודי ותרם תרומה לתיאוריה הפוליטית של המדינה המודרנית.

ד

שורשי השראתו של אופנהיים אינם מצטמצמים לרוח תקופת בידרמאייר ולהשפעתם החשובה של הנצרנים, אלא הם מצויים גם במקורות יהודיים שמעבר לזכרונות הילדות. אופנהיים לא היה היהודי המודרני הראשון שניצל מקורות אלו. היו שקדמו לו בתחום הספרות, ואמנותם שופכת אור על הרקע להיווצרות אמנותו. ברבע השני של המאה הי"ט קמה קבוצה של סופרים יהודיים צעירים שיצרה ז'אנר של ספרות בגרמנית על הגטו. רובם נולדו בצל הגטו, ופעלו בנפרד איש מרעהו, אך כולם כאחד (בהם ליאופולד קומפרט, ארון ברנשטיין, שלמה קאן, לודביג פיליפסון, מרקוס להמן, ברטהולד אוארבאך) פנו לספרות היפה לתיאור עולמו של הגטו השוקע. מכתביהם צמח תיאור רב־צדדי של חיים רוחניים, ערכיים ומאושרים בגטו, תיאור שנגד באופן מהותי את הרתיעה המשכילית מעולם זה. נכונותם של המחברים להבליט את היפה בחיי הגטו סימנה חידוש בכבוד העצמי היהודי המבוסס על התפייסות עם העבר המיידי. בספרות זו, ה"גטוגשיכטה", רבים התיאורים הדומים לעבודותיו של אופנהיים והמלמדים על זיקה משותפת. אך מעבר לדמיון הרב בנושאים ובפרספקטיבה, אף ניתן להצביע על הקבלות ממשיות. תיאורו של רוכל־הכפר הנושק למזוזה לפני צאתו לעסקיו בעוד אשתו מתפללת לשלומו מופיע לפרטיו בתמונותיו של אופנהיים. אך הדוגמה הטובה ביותר נמצאת אולי במקור הספרותי ל"ליל שבת" של אופנהיים. בתמונה נראה האב מברך את שתי בנותיו בדרך לא־מקובלת: במקום לברכן כל אחת לחוד, הוא מברך את שתיהן יחדיו בהניחו יד אחת על כל ראש. השינוי (עמ' 35ע) בטקס כאילו נלקח ישירות מסיפור של קומפרט, שבו מתגלית הסיבה. הילדים מתחרים ביניהם מי יזכה ראשון בברכה, וכך האב, בחכמתו של שלמה, מסכל את קנאתם בברכה אחת, כשעל כל ראש הוא מניח אחת מידיו.

הישענותו של אופנהיים על המודלים הספרותיים איננה מפתיעה כלל. כחלוץ בתיאור האמנותי של חיים יהודיים, חסרו לו מודלים מיידיים. לאן אפוא יכול היה לפנות, אם לא לסופרים שטיפלו באותו נושא מתוך מגמה זהה — השלמה והתפייסות עם העבר תוך העשרת הזכרון הקולקטיבי. הצלחתו הולידה מסורת של ציורים בנושאים יהודיים והיתה בבחינת תגבורת מפתיעה לכוחות המידלדלים של אחדות יהודית.

איסמר שורש

---

*פרופ' איסמר שורש הוא פרובוסט ופרופסור להיסטוריה יהודית בבית־המדרש לרבנים באמריקה, ניו־יורק. המאמר תורגם וקוצר בידי ד"ר ירחמיאל כהן, האוניברסיטה העברית, ירושלים.

12.IV ליל שבת
Sabbath Eve

תאריכים ביוגרפיים

1800	נולד בהאנאו, ליד פרנקפורט
1811	ביטול הגטו של האנאו
1820/21	לימודים במינכן ובפאריס
1821-25	שהות ברומא
1823	נסיעה לנאפולי. מכירת תמונות אחדות לבארון קארל מאיר פון רוטשילד
1825	חזרה לגרמניה, דרך בולוניה, ונציה, מינכן ועוד. מתיישב בפרנקפורט
1827	ביקור בויימר; פגישה עם גתה; קבלת תואר "פרופסור"
1828	נישואים לאדלהייד קלבה מהאנאו
1831	ביקורו של היינה בפרנקפורט; אופנהיים מצייר את דיוקנו
1836	מות אשתו; הזמנה לצייר דיוקנאות של חמשת האחים רוטשילד
1837	נסיעה לאנגליה
1839	נישואים לפאני גולדשמידט מפרנקפורט
1849	אישור בקשתו לאזרחות העיר פרנקפורט, לאחר סירובים רבים
1851	רישום כאזרח, עם אשתו וששת ילדיו משני הנישואים
שנות ה־50	התחלת העבודה על "תמונות מחיי משפחה יהודית מסורתית"
1857	מינוי לחבר־כבוד באקדמיה לציור של האנאו
1866	הדפסה ראשונה של תצלומי "תמונות מחיי משפחה יהודית"
1882	מות האמן הדפסת "תמונות מחיי משפחה יהודית" בצורת ספר, בצירוף הקדמה ודברי־הסבר מאת הרב ליאופולד שטיין

15.I

חליפת־מכתבים בין אופנהיים וריסר

מוריץ אופנהיים וגבריאל ריסר נפגשו לראשונה בוודאי בעקבות החלטתה של הקהילה היהודית של באדן, בשנת 1835, להעניק לריסר במתנה את ציורו של אופנהיים, "שובו של המתנדב", כאות תודה והוקרה לו על מאבקו למען השגת זכויות אזרח ליהודי הנסיכות. ריסר התגורר בפרנקפורט בשנים 1836-1840, ובתקופה זו התהדקו קשרי הידידות בין השניים. לאחר שריסר עקר להמבורג, החליפו ביניהם מכתבים בקביעות והשתדלו להתראות איש עם רעהו לעתים קרובות ככל האפשר.

להלן מובאים שני מכתבים מאת מוריץ אופנהיים אל ריסר ושבעה מכתבים מאת גבריאל ריסר אל מוריץ אופנהיים. המכתבים נמצאו בעזבונו של מוריץ אופנהיים והם מתפרסמים כאן לראשונה.

מוריץ אופנהיים אל גבריאל ריסר
פרנקפורט, 24 בינואר 1841

ידידי היקר מכל,

ראשית, מכיוון שאיני יודע את כתובתו המדויקת של דר' וולפסון, ושנית, מכיוון שאני רוצה להראות לך מהר ככל האפשר שאני בהחלט מקבל את נזיפתך, אני מצרף בזה מכתב, למסירה מהירה, שיבהיר לכל את חפותך ואת חוסר אשמתי, ויוציא אותך מן המשחק.[1] למרות זאת, אין מחילה על כך שלא כתבתי ישירות לדר' וולפסון כבר מזמן — אבל כל האמנים הגדולים הם כותבי מכתבים רשלנים, ואני רציתי להוכיח בזה לוועדה עד כמה בחירתם בי היתה נכונה.

על כרמייה בוודאי כבר שמעת די והותר, אך רוצה אני בכל זאת לומר לך שהזמנו בשבילו כאן גביע, הדומה לגביע שלך, בשינויים אחדים. אשר למונטפיורי, עיצבתי חפץ לקישוט השולחן בשבילו, שיבוצע בכסף. ההצעה מצאה חן בעיני הכל, הן הרעיון הן הצורה. תלמידתי רבת־ההתחשבות, גב' פון רוטשילד, אף התכוונה לשלוח את הרישום לוועד הפריסאי לביצוע, אילולי היתה המתנה כבר בשלבי עבודה. מכיוון שהרישום שלי הועתק פעמים מספר, כדי שיונח ליד רשימות ההחתמה, אשלח לך אחד מההעתקים, ברגע שיהיה אפשר.

אני גם מבטיח לשלוח לך במתנה מתווה חופשי של תכנית הציור שלי לקליי.[2] ספק גדול אם נוכל לבצע כאן את המתנה של מונטפיורי באותו עושר דמויות שתכננתי (המחיר צריך להיות 1200-1500 גילדרים), כי זה מרגיז כאן את האנשים, כאשר עליהם להוציא כסף מן הכיס ולתרום שוב ושוב. הסעודה לכבוד כרמייה, הגביע שלו, ילדיו — הכוונה לאלה שבקהיר — עלו כבר הרבה כסף — עכשיו מגיעות, למרבה הצער, ההצפות הכבדות המקדמות את מונטפיורי, ש"אליבא דכולי עלמא" ראוי לכבוד הרבה יותר ממלוו הצרפתי, וקשה לעורר את התלהבות **המשלם.**

עלי לסיים להיום, כי באו להפריע לי, והמכתב צריך לצאת בדואר של היום. — אולי אסע עוד קודם לבוקנהיים[3] כדי להחליף כמה מלים עם פאולינה — היה שלום, ידיד יקר, וקבל ברכות ונשיקות מקרב לב,

שלך
אופנהיים

[1] אופנהיים התכתב עם דר' וולפסון בקשר להזמנה של מתנה לדר' אדוארד קליי. נתגלעו חילוקי־דעות בקשר לזמן מסירת העבודה המוגמרת.

[2] "משה מעביר את המנהיגות ליהושע" (מס' II.14, עמ' 23ע).

[3] פרוור של פרנקפורט, שבו התגוררה אחותו של ריסר.

מוריץ אופנהיים אל גבריאל ריסר
פרנקפורט, 10 ביוני 1842

ידידי היקר,

גם אם לא כתבתי לך בעקבות המאורעות האחרונים ולא קיבלתי ממך שום מכתב, לא פסקת מלהעסיק את מחשבותי. בכל פעם שהעליתי בעיני רוחי את האסון הנורא שפקד את המבורג, ראיתי אותך כדמות מרכזית, דוברת ופועלת בקו הראשון.[1] — בכליון־עיניים ציפיתי לשובו של אחיך רפאל כדי לקבל ידיעות מפורטות יותר עליך ועל בני־ביתך — אך כאשר הגיע לכאן בקושי הצלחתי להחליף אתו מלים מספר, כי הוא היה עסוק מדי ואני עצמי בדיוק התכוננתי לצאת לנסיעת נופש לאודוואלד ולנקאר, בחברתם של כמה אמנים, כדי להחלים ממחלת ילדות קלה, שעדיין לא נפטרתי ממנה לגמרי.

לפני ימים מספר חזרתי ואז סופר לי, בסוד, שהתחייבת לתשלומים שנתיים, כדי לקבל כאן הלוואה קטנה. ...ידידי היקר, אם יש לך עכשיו, כפי שעלי לשער, דאגות וחובות מעיקים, שהיו זרים לך לחלוטין קודם לכן, הריני מבקש ממך, אל תחסוך אותם ממני, אם יכול אני להיות לך לעזר. — אתה יודע שתמיד השתתפתי מקרב לב ב"שמחעס" שלך — אני רוצה להוכיח לך שאני משתתף גם ב"צורעס" שלך —

במקרה שיהיה לך שוב צורך מסוג זה, מוטב שתפנה אלי, ריסר היקר, ואם לא יהיה ביכולתי או בכוחי להיענות לבקשתך בעצמי, עדיין אוכל להסדיר את העניין בצורה מוצלחת יותר מכפי שנעשה הפעם. למשל, מכיוון שלא פנו אלי (ייתכן שידעו שאיני נמצא בעיר), הרי שמן הדין היה שגם השמועה לא תגיע לאוזני. גם אם לא אכפת לך, לדעתי, אפשר היה למנוע את הדבר.

סלח לי, ידידי, אם אני מדבר על דברים שבוודאי אינם נעימים לך, בלי שביקשת זאת ממני. אך היה זה בלתי־טבעי ביותר לו כתבתי לך עכשיו, כאשר אני יודע שאתה שרוי בדאגה, על דברים חסרי משמעות, ולו נשארתי יושב בחיבוק־ידיים, בלא להציע לך את עזרתי. התנהגות כזאת לא היתה מכבדת את רגשותי כלפיך.

יותר מכל העציבה אותי הידיעה שהמאורעות האחרונים פגעו אף בבריאותך — אמנם שמעתי מרפאל שלך שברוך השם הוטב לך, אך אהיה אסיר־תודה אם תוכל אתה בעצמך להרגיע אותי בעניין זה, אפילו במלים ספורות. — התרופה הטובה ביותר היא נסיעה. אם רק יכול אתה, ריסר היקר, בוא והחלף כוח בבוקנהיים, אצל קרובים וידידים המכבדים ואוהבים אותך מקרב לב. כאשר תשקיף בערב מחלונך על מימיו הרוגעים של הטאונוס, ישובו אליך כוחותיך וחיוניותך.

היה שלום, ריסר היקר והטוב ושמחנו בקרוב בכמה שורות.

שלך
אופנהיים

שלומם של יקירי טוב, ברוך השם, ואשתי הטובה דורשת בשלומך מקרב לב.

[1] ב־5-8 במאי 1842 השמידה שריפה ענקית חלקים שלמים של העיר המבורג.

גבריאל ריסר אל מוריץ אופנהיים

המבורג, 19 בפברואר 1842

ידידי היקר,

איני רוצה להניח לתודתי על מכתבך האחרון, מכתבך השני, היקר והיפה, להצטנן יתר על המידה ולחשוף את ידידותי שוב לנזיפה, שהווכחנות שלי בוודאי ראויה לה. בכל לבי רוצה אני לשכנע אותך, שמכתביך היקרים גורמים לי שמחה, בלצונם וברצינותם, בפיוטם ובפרוזה שלהם; אזי — תעניק לי בוודאי שעת אושר כזאת לעתים קרובות ככל שתוכל. מכיוון שמכתבי הכתובים נופלים כל־כך משלך בהומור ובעושר תוכנם, הרי נעים לי לדעת שמכתבי המודפסים מצאו חן בעיניך. אשמח מאוד אם תקבל אותם בסוף השנה על חשבון איזון חובי בהתכתבות שלנו. חשוב לי מאוד, שדברי המודפסים גורמים הנאה לידידי, כי יודע אני יפה, ותמיד ידעתי, עד כמה מצומצם החוג שבו נקראים הדברים. אין זו אשמתה של הצורה (אם כי אני בהחלט מבקר אותה ואין בכוונתי להגן עליה); הכותרת — רק מציינת את הנושא בפשטות ובכנות; הנושא — הוא הוא האשם. דבר זה אין בכוחי למנוע, כל עוד אני כותב דווקא על הנושא הזה. לא ניחנתי בכשרון ההסוואה, ואיני מסוגל, כפי שהציעו לי כמה פעמים ברצינות, להגיש את הדברים כך שהקורא יבלע את המחצית לפני שירגיש על מה בעצם מדובר — כפי שמערבבים לילדים תרופה מרה בתוך מאכלים טעימים. מצד שני, כותרת **שלא** תציין את הנושא, לא תועיל לזמן רב ולא יהיה זה מעשה מחוכם יותר ממעשהו של אותו פלוני בגרבי המשי. לכן חייב אני להניח לזה ולהסתפק בכך, שאת הקונטרס שלי יקראו ידידים ובני־דתי הקרובים לי בדעותיהם, ולחכות שבמשך הזמן יחרגו דברי לעתים מעבר לחוג מצומצם זה.

באשר לדאגתך, שאני עלול לקנות לי אויבים גם מבין היהודים עצמם, אני אסיר תודה לך מאוד על ידידותך. אך עלי להתוודות בפניך, שאם כי תמיד שמחתי מאוד על כך, שהתנאים הנוחים שלי אפשרו לי ללכת בדרכי בלי לעורר שנאות אישיות, לא התכוונתי מעולם להקריב את דעותי על מזבח שמירת מצב נעים זה, ומעולם לא השליתי את עצמי שאוכל לדבוק בדעותי בלי להקריב קרבן זה. עם זאת יכול אתה להיות בטוח, שהכובע המשולש לא קלקל אותי לגמרי ושלא בגדתי בדרך המחשבה הסובלנית והמתחשבת בהשקפות דתיות השונות מהשקפותי. מה שהמריץ אותי לנקוט עמדה בעניין הזה היתה העובדה, שכאן התכוונו בבירור לדכא דעה אחת. בתחילה הפעילו תככים אצל השלטונות, כדי שימנעו בכוח את בניית הבניין החדש (Tempelverein), שהרפורמים זקוקים לו לקיומם.[1] אחרי שהדבר לא עלה בידם, רצו למנוע מהם מלהוקיע בפומבי את ביזוי ספר־התפילה שלהם. דבר כזה הוא בלתי נסבל, ואין אני נלחם כל חיי נגד העוולות והלחצים החיצוניים, כדי לשאת אותם בתוכנו. אני יכול להבטיח לך שאילו דוכאו באותן נסיבות הקרובות ללבי הדעות האורתודוכסיות, הייתי יוצא להגנתן באותו להט, כפי שאמנם עשיתי לעתים קרובות למדי בכתבי, כאשר איימו עליהן באלימות. איני מכיר במידה מספקת את הנסיבות בפרנקפורט, שאוכל לשפוט אם כאן נעשה באמת עוול לאלה המכונים אדוקים. לזה בוודאי לא הייתי מסכים.

תמונתך, שהגיעה הנה, היא מקור לא אכזב של שמחה והתפעלות;[2] העיכוב הקטן נשכח לחלוטין. קנית לך כאן, ביצירת האמנות שלך וכן בהתנהגותך החביבה וברצון הטוב שהפגנת בעניין, פופולריות רבה כל־כך, שאם תואיל לכבדנו פעם בביקורך, תתקבל בתרועות שמחה. לכן אני חוזר על בקשתי הישנה, שתבוא פעם לזמן־מה לכאן, אולי בקיץ הבא, ואז ייתכן שאוכל לנסוע עמך חזרה. אני רוצה מאוד להתראות שוב עם קרובי ועם ידידי מן המיין, ואם לא יתעוררו קשיים בלתי־צפויים, אעשה זאת, בעזרת השם.

היה שלום, ידידי היקר, דרוש בשלום אשתך היקרה וילדיך, כתוב אלי שוב במהרה וזכור אותי באהבה.

שלך
גבריאל ריסר

[1] הכוונה לבית־הכנסת שנוסד בהמבורג בשנת 1817 בידי כ־66 יהודים, בתוך כוונה להכניס חידושים בסדרי התפילה והטקס, כגון דרשה בגרמנית, שירת מקהלה ונגינת עוגב. בהנהגתו של הדרשן אדוארד קליי, עמד בית־הכנסת הרפורמי בכל המחלוקות המרות שליוו את לידתו והיה למוסד עצמאי, אף כי בלתי־נפרד מן הקהילה. בשנת 1841 חזרה והתלהטה המחלוקת כאשר הקהילה הרפורמית, עתה בהנהגתו של נפתלי פרנקפורטר, עברה לבניינה החדש, המוגדל, והכניסה תיקונים בסידור־התפילה. אולם הפעם היה עליה לעמוד בפני התנגדותו הנמרצת של הרב המפורסם ורב־הסמכות, החכם יצחק ברנייס. ריסר תמך בפומבי בזכותה של הקהילה הרפורמית לנהל את התפילה בהתאם לאמונתה, ואף הזדהה עמה באופן אישי. כפי שהיה בשנת 1819, גם הפעם עוררה המחלוקת הדים בינלאומיים. (א"ש)

[2] הכוונה לציור "משה מעביר את המנהיגות ליהושע" (מס' 14.II). ראה מכתבו של איזק וולפסון, ראש הקהילה היהודית בהמבורג, אל אופנהיים (17.V).

גבריאל ריסר אל מוריץ אופנהיים
המבורג, 12 ביוני 1843

ידידי היקר,

ראשית, אלף תודות על מכתבך האחרון, ששימח את לבי מאוד. נחושה היתה החלטתי לענות עליו מיד עם הגיעו; אך אלף עיכובים — עבודות שונות, מבקרים מחו"ל וכדומה, שמו לאל את הוצאת ההחלטה לפועל, ורק עכשיו מגיע אני לכתיבה. אשלח את המכתב בידי אחי, החוזר מחר לבוקנהיים.

שנית, אני חייב לך תודה מקרב לב על ששלחת לי את פיתוח־הנחושת של ציור "נוח" שלך, שהגיע לידי לפני שבועות מספר דרך מגדבורג, באמצעות דר' פיליפסון.[1] כבר לפני זמן־מה ראיתי בהפתעה נעימה את הפיתוח הזה בחלון־ראווה של בית־מסחר לאמנות ורכשתי אותו. מכיוון שזכיתי, בטובך, בהדפס נוסף, נתתי את שלי במתנה לגברת אחת, שרצתה בו מאוד ושמרתי אצלי את ההדפס ששלחת לי. כך שזכית בתודה כפולה.

מיטב הברכות למאורע המאושר הצפוי, שמכתבך בישר לי עליו. אני משתתף אתכם בתקווה ובציפייה להגשמתו. אולי, אם — כפי שאני מקווה בכל לבי וכמעט בבטחון — אבוא אליכם לפרנקפורט בעוד כמה חודשים, ואם הדבר יארך עד אז ואילו היו דעותי קצת פחות אפיקורסיות, יכולתי להיות הסנדק. זה מביא אותי לתוכנו העיקרי של מכתבך, ששיעשע אותי מאוד, כביטוי נאמן של דרך מחשבתך והרגשתך, בעיקר משום שהוא מתבסס על כמה אי־הבנות. אני מוצא שמכיוון שסיפרו לך על מכתבי לוועד הרפורמי של פרנקפורט, הרי מן הראוי היה שגם יראו לך אותו. אם יש לך עניין בכך, רוצה אני שתבקש, בשמי, מאחד האדונים האלה למסור לך את מלוא הפרטים. הם בוודאי לא יוכלו לסרב לך. תוכל לראות שדעותי על עניינים אלה אמנם רחוקות מדעותיך, אבל באותה מידה הן רחוקות מאלה של האדונים שאליהם כתבתי, וכי כלל לא עולה על דעתי להעמיד עצמי **בראש** תנועה תיאולוגית.[2] אין לי כל התנגדות להדפסת המכתב, בלא שינויים, אך דבר כזה בוודאי לא יצא לפועל, ראשית בגלל אותם חילוקי־הדעות, ושנית מכיוון שיש בו הערה הקשורה בנצרות, שאי־אפשר להדפיסה. דרך אגב, אני מוכן, ברצון רב, לקלקל את יחסי עם כל התנועות הדתיות למיניהן, בראש וראשונה עם האורתודוכסים מכל הגוונים, ובקרוב גם עם הנאורים, מכיוון שמעולם לא ביקשתי את הוקרתם או השתתפותם בשטח זה. מה שנוגע למילה, מעולם לא הסתרתי את סלידתי מן הטקס הזה — כפעולה דתית. אך סלידה זו היא ענייני בלבד ואינה מעניינו של איש. אני טוען שאלה שאינם מאמינים בטקס הזה ורואים בו אך ורק מנהג ברברי יקחו לעצמם גם את החירות לוותר עליו, ממש כפי שאינם שומרים על השבת ועל חוקי הכשרות. מצב מצער הוא כשמתהללים ברפורמות שעה שבנקודה מסוימת זו נכנעים לכפייה משטרתית טפשית ובוודאי מדומה מתוך קהות רגש או סכלות.[3] מאידך גיסא, אלה אשר רואים במילה מעשה של קדושה, ימשיכו לקיימה בשם אלוהים. אין להצר כמלוא הנימה את הסמכות לעשותה וכל פגיעה בזכויות האזרח שלהם שעלולה לצמוח מכך היתה ותישאר עוולה נוראה. איש לא העלה את הרעיון של העדפה חוקית ליהודים ה"מתוקנים", כך לפחות הובטח לי, אחרת יקח השד את כל ה"מתקנים". אך באותה מידה, אל נא תהיה להם, לאדונים האדוקים ההם, החוצפה להגביל את חירותם של בעלי דעה שונה משלהם, ואל יסתתרו מאחורי גבה של המשטרה, כדי להפעיל כפייה בזויה. במשך דור שלם היו אבות־משפחה רבים — בפרנקפורט רק מעטים, אך בברלין ובהמבורג מאות — שהטבילו את ילדיהם לנצרות, בעוד שהם עצמם נשארו יהודים. לא נמצא רב שהיה לו האומץ לפצות פה נגד מעשה מביש זה, המבזה כל דת; איש לא העלה על דעתו לשלול מאבות אלה את יהדותם, מכיוון שהיו מרגיזים בכך את הרשויות, הרואות מעשים מחפירים אלה בעין יפה, והם הרי רוצים לשמור על יחסים טובים עמן. אזי, אם אב יהודי אינו רוצה להטביל את ילדו, אך גם אין לו חשק לקיים טקס חמנוגד לרגשותיו, ואם אותה כנופיה של רבנים לפתע אוזרת עוז ופוצחת בצעקות ורצה למשטרה, כי היא מקווה לקבל עזרה מידי אותו גוף השונא כל חירות, הרי שזו נבזות שיש לרמוס אותה בכל הכוח. אני עצמי תומך תמיכה נמרצת באותו עקרון של חירותו של האב, והוא חשוב בעיני באותה מידה כמו האמנסיפציה, ואלחם ללא רחם בכל מה שיעמוד בדרכו. אגב, ידידי, הסר דאגה מלבך, שמא אשקע עמוק מדי בבירורים תיאולוגיים, אין אני נוטה אליהם כלל.

מסור ברכות חמות לידידנו פרדיננד הילר,[4] ואמור לו שאכן קיבלתי את מכתבו באמצעות העלמה קפיטן. אשמח להכירה, ואשמח עוד יותר להיות לה לעזר בעניין כלשהו. אך עד עכשיו לא שיחק לי המזל, מכיוון

שבביקורי הראשון לא מצאתיה בבית ובביקורי השני — אתמול — לא מצאתיה בקו הבריאות, כך שלא יכלה לקבל את פני. אך אעשה היום נסיון שלישי ואני מקווה לראות את פניה המחלימים. דרך אגב, אין היא זקוקה כלל להגנה מן הביקורת, שכן זכתה לתשואות רמות וכלליות מיד בהופעתה הראשונה ב"הוגנוטים".

האם כבר נודע לך מיהי הכלה ה"משוגעת" של דר' ויהל!... אני מצפה בשמחה לתמונתך הגדולה בשביל היהודים הפולנים. האם אראה אותה מוגמרת כאשר אבוא באוגוסט לפרנקפורט?

מסור את ברכותי הלבביות לאשתך ולילדיך! איני צריך לומר לך באיזו שמחה אני מצפה לפגישתנו העתידה. אני גם יודע שיש הד לשמחתי בלבך. אך אל ימנע הדבר ממך לכתוב לי קודם עוד פעם.

היה שלום וזכור באהבה את
גבריאל ריסר
שלך

[1] דר' לודוויג פיליפסון, דרשן במגדבורג ונציג התנועה הרפורמית, וכן מייסד העיתון "אלגמיינה צייטונג דס יודנטומס".

[2] האגודה הרפורמית (Reformverein) בפרנקפורט היתה חלוצה בהנהגת תיקונים קיצוניים. תומכיה היו צעירים יהודים אינטלקטואלים, שהתרחקו מן היהדות המסורתית, אך סבלו מן הקשיים שנערמו על דרך התקדמותם המקצועית. האגודה, שקמה לראשונה בסתיו של שנת 1842 בהנהגתו של תיאודור קרייצנאך, מורה מחונן בבית־הספר "פילנטרופין", לא מנתה מעולם יותר מכמה תריסרים של חברים. ועם זה היא עוררה גינוי והתנגדות חריפים ברחבי גרמניה כעבור שנה, בעקבות ההכרזה שחבריה מנתקים עצמם מן היהדות הרבנית ומן התקווה לבוא המשיח, ולעומת זאת הם דבקים באמונה שיש בכוחה של דת משה לשוב ולהתחדש ללא הגבלה. גבריאל ריסר סירב, מסיבות שונות, לתת את שמו לתנועה זו ולתמוך בהצהרתה, על אף הפצרותיו של ידידו הטוב, מוריץ אברהם שטרן, שהוא עצמו עמד בסירובו לקדם את הקריירה האקדמית שלו באוניברסיטת גטינגן על־ידי המרת דתו. (א"ש)

[3] בראשית שנות הארבעים של המאה הקודמת ניטשה בפרנקפורט מחלוקת מרה בדבר מעמדו של תינוק שנולד להורים יהודיים ולא נימול. חברי האגודה הרפורמית ניצלו את אי־הבהירות של תקנות הממשלה בעניין זה וטענו שמוצאו של תינוק, ולא טקס ברית־המילה, הוא הקובע את יהדותו. אף כי בסופו של דבר ויתרה האגודה הרפורמית על פיסקה זו במצעה הרשמי, המשיך רבה הישיש של קהילת פרנקפורט, שלמה אברהם טריר, לקבץ ולפרסם חוות־דעת של כ־28 רבנים מרחבי אירופה המרכזית, שכולם גינו ושללו פה אחד את הטענה, כי מבחינה דתית ניתן לוותר על המילה. ריסר, שהיה תמים־דעים עם התנועה בתחושת הסלידה מטקס המילה, הוכיח אותה על שהשמיטה נושא זה מהצהרתה הסופית. (א"ש)

[4] המלחין והמנצח פרדיננד הילר (ראה מס' 16.I, עמ' E18).

גבריאל ריסר אל מוריץ אופנהיים
המבורג, 9 בינואר 1844

ידידי היקר והטוב מכל,

מאז שבתי מנסיעתי היפה והמהנה בקיץ זה, אני מתכונן לכתוב אליך; לא הגעתי לכך כי זמני עמוס תמיד. עכשיו נמצאה לי דחיפה חדשה וחזקה בברכה החמה שאני רוצה להביע לך ולאשתך היקרה להולדת התאומים שלכם. יתן האל ושני הילדים יעלו ויגדלו ויעניקו לכם רוב שמחה! כפי ששמעתי, גרם לך בתחילה עודף הברכה דאגה לשלום הילדים; אך מכיוון שהילדים ואשתך היקרה מרגישים בטוב, כפי ששמעתי, אני מקווה שנרגעת בעניין זה לגמרי.

את התמונה הגדולה שלנו שלחתי זמן קצר לאחר שובי, באמצע אוקטובר, לבית המסחר לאמנות לודריץ בברלין;[1] גם צירפתי לזה מכתב, אולם לא קיבלתי, ואף לא ציפיתי לקבל, כל ידיעה נוספת. אך אני מקווה **שלך** יש ידיעות על התקדמות העבודה, ואני מבקש ממך מאוד להעביר לי אותן. אינני מכחיש שאני מתגעגע לכך, שהתמונה תהיה שוב ברשותי, ואני מקווה שבית־המסחר לא יתמהמה יתר על המידה בביצוע העבודה.

ביחס לתמונתנו השנייה, הדיוקן שלי, הקיץ, כאשר היינו יחד, היתה לי כוונה, שהתעוררה בחלקה גם בגלל רצונך, ליצור גם ממנה הדפסים.[2] אמנם לא ויתרתי על הרעיון, אך עלי להודות, שבטרחות היום־יום שבהן אני שקוע במשך השנה, יש לי פחות חשק לחשוב ולבצע דברים כאלה, מאשר במצב־הרוח החגיגי של הטיול. אני זוכר איך נהגת לומר בפרנקפורט, בהזדמנויות שונות, שלולא הייתי חי בחוסר דאגה כזה, לא הייתי מוצא בי מרץ וחשק לעשות דברים מדברים שונים, כמו ללמוד דקדוק עברי, למשל.[3] עכשיו, מאז שיש גם לי דאגות, או לפחות התחייבויות מקצועיות ועסקיות, אני מוצא אישור מסוים לדבריך.[4] בין הדברים הראשונים שנוטים בנסיבות כאלה להסיט הצידה נכלל גם הטיפול בהכנת הדפסים של תמונתי. לכן אני מעדיף לחכות עד שיקרה משהו נעים, שיעורר בי חשק לעשות את זה. אבל, אף כי אני עצמי איני מקפיד על קיום החלטותי, או אם תרצה — הבטחותי, אני סומך על כך שאתה מצדך תקיים את שלך, ולכן איני מהסס להזכיר לך את הבטחתך ולבקש ממך שתשלח לי את הקריקטורה של התנועה הרפורמית (Reformverein) שהבטחת לי במתנה. אני גם מרשה לך להשתמש בדמותי ולהכניס אותי לציור, כקרבן תמים; אך עליך לצרף לרישומים, כתוספת וכהערות, את מחשבותיך ובדיחותיך החדשות על אותו עניין רב־חשיבות, שכעת כבר העניק לעולם המצפה בנשימה עצורה את החוזר השני.

היה שלום בינתיים, ידידי היקר! מסור שלום וברכות חמות לאשתך היקרה ולילדיך. אני מבקש ממך מאוד, כתוב **במהרה, במהרה**

לגבריאל ריסר
שלך

[1] "שובו של המתנדב" (III.9, עמ' 24ע) שממנו צריך היה להכין הדפס.
[2] הדיוקן עובד לבסוף לפיתוח־פלדה (ראה מס' I.15, עמ' 38ע).
[3] ריסר ואופנהיים למדו עברית יחד אצל דר' הוכשטדר, כאשר ריסר גר בבוקנהיים ליד פרנקפורט בשנים 1840-1836 (M. Isler, *Gabriel Riesser's Leben nebst Mitteilungen aus seinen Briefen*, Frankfurt am Mein, Leipzig, 1867)
[4] ב־1840 פתח ריסר משרד נוטריוני בהמבורג.

גבריאל ריסר אל מוריץ אופנהיים
המבורג, 6 במרס 1844

ידידי היקר מכל,

מכתבך היקר שימחני מאוד ואני מבקש ממך לשגר בעקבותיו בקרוב עוד אחד. חיכי בוודאי לא יקהה מטעימות תכופות מדי של תענוגות כאלה. היום עלי לומר לך בראש ובראשונה שמיד עם קבלת מכתבך, ב-17 בפברואר, כתבתי לבית-המסחר לאמנות לודריץ וביקשתי מהם לשלוח לי בדחיפות ידיעות מפורטות על מצב העבודה.[1] למרות זאת לא קיבלתי שמץ של ידיעה מן האנשים האלה. התנהגות כזאת היא בכל מקרה חצופה ובלתי-אחראית. אני מבקש ממך לכן לכתוב לי מיד מה דעתך על העניין, ואם שמעת, אולי, בינתיים משהו; אני מחכה רק לתשובתך, לפני שאכתוב לאנשים האלה עוד פעם ובצורה כזאת, שהם לבטח יחליטו לענות.

שמחתי מאוד לשמוע מה יפה מתפתחים התאומים שלך. כמה טוב היה אילו לא הייתי זקן מכדי להיות חתנך. הייתי זוכה בנעורים ובאשה צעירה ונחמדה גם יחד. יתן האל שהילדים ימשיכו לגדול ולשמח לב הוריהם!

אני חוזר ומבקש ממך לשלוח לי את המוצר היקר והחשוב ביותר של התנועה הרפורמית, כלומר את הקריקטורה, ואני סומך על כך שתקיים את הבטחתך. לאחי יש הזדמנויות תכופות לצרף את זה למשלוח להמבורג. תן לו את הדף, והוא כבר יסדר את העניין; אנהג בו באופן הדיסקרטי ביותר ואהנה מן המזכרת רק בסתר.

השמועה, המוזכרת במכתבך, ששטיין לא יקבל על עצמו את הרבנות עשתה לה בינתיים כנפיים; אך אין לי ידיעות ישירות. האם יש בזה משהו?

ההודעה, שמסרת לדר' ויהל בקשר אלי, כמעט עוברת את הגבול. היזהר, שאהבת האמת שלי לא תקלקל לך פעם את השמחה. אגב, אני באמת שמח שה"שטות" שלו שומרת עליו יפה כל כך.

דרישת שלום חמה לאשתך היקרה ולילדים, וכן לאחיך ש"ד[2] ולכל האחרים שאת דרישת-שלומם לא מסרת לי. אני מודה לך ולידידנו יהודה שמואל על המידע בעניין הכלות בפרנקפורט. האם אתם רוצים להפחיד אותי שלא תישאר בשבילי אף אחת, וכך לדחוף אותי לצעד נואש?

מאס ואשתו שמחים וחשים בטוב ודורשים בשלומך. מן המכתב תוכל להרגיש שזמני דחוק היום; בפעם הבאה אענה לך בפרוטרוט; זמן לי בקרוב עילה לכך.

להיום היה שלום, ידידי הטוב, וזכור באהבה את
גבריאל ריסר
שלך

---

[1] הכנת הדפס-אבן של התמונה "שובו של המתנדב".
[2] שמעון דניאל, אחיו הגדול של אופנהיים.

גבריאל ריסר אל מוריץ אופנהיים
המבורג, 9 במאי 1844

ידידי היקר!

סוף סוף יש בידי למסור לך ידיעה על התמונה שלנו.[1] אחרי שמכתב, ששלחתי למר יוספי בפברואר, נשאר כמעט חודשיים ללא מענה, פקעה שארית סבלנותי וכתבתי לפני כארבעה שבועות לפייט בברלין וביקשתיו לדרוש ממר י' הודעה ברורה, ואם לא ניתן להשיגה מרצון — למסור את העניין לידי עורך־דין. גם בתשובה לכך לא שמעתי זמן רב שום דבר עד אשר קיבלתי סוף סוף, ב־3 בחודש זה, מכתב ממר יוספי, שבו הוא מתרץ את שתיקתו הארוכה בכך, שרצה להודיע לי תאריך מדויק להחזרת התמונה, דבר שהוא מסוגל לעשותו רק כעת, מכיוון שכאשר קיבל את מכתבי היתה העבודה רק בשלביה הראשונים, כי הליתוגראף צריך היה קודם לסיים עבודה אחרת. הוא מבטיח בכל לשון של הבטחה, שהעבודה תסתיים בעוד ארבעה שבועות וכי תשביע את רצוננו. אין הוא מזכיר כלל שישלח הגהות של הדפסים אליך. אם אתה סבור שכדאי להזכיר לו זאת, אנא כתוב לו ישירות; אין לי חשק להמשיך להתכתב עם האיש. על כל פנים הוא גס־רוח, שלא ענה לי קודם; אף שייתכן שהוא אדם הגון, ויכול להיות שהתמונה תצא טובה.

אני מודה לך מקרב לב על הציור המשעשע שקיבלתי ממך באמצעות אחיך; חזרתי והתענגתי עליו ובעזרתו העליתי בעיני רוחי כמה וכמה רגעים עליזים מן הימים של פגישתנו האחרונה. — ביליתי כאן שעות נעימות אחדות בפטפוט עם אחיך ש״ד, ונהניתי מן ההומור הטוב שלו.

הדבר הטוב ביותר ב״אגודת השלום״ (Friedensverein), שקראת עליה בעיתון, הוא התקנון שלהם; פרט לזאת אין לה חשיבות; המייסדים הם בחלקם אווילים ובחלקם נערים; מספר אנשים מהוגנים, שבתחילה עשו את השטות והצטרפו, חזרו בהם עד מהרה; אני חושב שכרגע הפסיקה האגודה להתקיים, זו הפעם השנייה; איני מבין מה יכולה לתרום אגודה למטרות כאלה, אלא אם כן יש בכוחה להרשים באמצעות האישים המרכיבים אותה.

האם הילר נמצא בפרנקפורט, ומה שלומו? איך נהנה מלייפציג? דרישת שלום חמה לאשתך היקרה ולילדיך ולאחיך ש״ד. מאס ואשתו מוסרים שלום. היה שלום, ידיד יקר, ושמחני במהרה במכתב.

שלך
גבריאל ריסר

[1] ״שובו של המתנדב״.

גבריאל ריסר אל מוריץ אופנהיים
המבורג, 20 בדצמבר 1844

ידידי היקר מכל,

אלף תודות על מכתבך היפה, העליז והמבדח, שגרם לי שמחה רבה, וכן הוכיח לי את אהבתך הסלחנית, מכיוון שאני עדיין חב לך תשובה על מכתב קודם, ובמקומו שלחתי לך רק תצלום (Daguerreotype) גרוע למדי, וכן תודה על תוכנו — כלומר, של מכתבך — הנהדר. ייתכן שתשאל מדוע הסתרתי את השמחה הזאת זמן רב כל כך ולא עניתי לך קודם. אך אל תפקפק בגלל זה בכנותה והאמן לי שמגיעה לי כעת, בעניין זה, התחשבות רבה. אני עסוק מאוד ויש לי אך מעט זמן פנוי. משום כך אני גם חייב, לצערי, לדחות את ביצוען של תכניות ספרותיות מסוימות לזמנים טובים יותר; איני יכול להכחיש שתלות זו בדברים, שאין לי בהם שום עניין מלבד סיפוק צורכי היום־יום, והגבלת חירותי להשתמש בכוחותי בהתאם לנטיות לבי כמעט עד לאפס, מעכירים את רוחי. אך איני רוצה להתלונן; נהניתי מחיי חופש ומפעילות בלתי־תלויה זמן רב יותר מרוב האחרים, ולא נטשתי את התקווה לחזור ולחיות בדרך זו, שמאז ומעולם היתה מחוז שאיפתי. בדרך חיים כזו יכול אני לוותר על דברים הנראים בעיני רבים כחיוניים. כאשר תגיע השעה **הזאת**, אכתוב לך לעתים קרובות יותר, אם לא נגור אז בסמיכות כזו שהכתיבה תהיה מיותרת. כרגע, לפחות, אני מתכוון ומקווה בקיץ הקרוב שוב לרחף זמן־מה באוויר כציפור־דרור, מעל לכל הדאגות והחובות הארציות כלומר — לנסוע לטייל. הקיץ הייתי אדם אחראי עד שהסתפקתי בטיול בן שבוע, אגב — טיול מושך ביותר, לאי הנחמד הלגולנד בים הצפוני. בשנה הבאה אני מקווה לפצות את עצמי ולבוא שוב אליכם לדרום גרמניה, מולדתי השנייה, ואף להאריך את נסיעתי עד לשווייץ. הטיול שלי בשנה שעברה ריענן והחייה את נפשי יותר מטיולי בשנים הקודמות, כאשר גם בבית הייתי ללא התחייבויות; אני עדיין נזכר בעונג בתקופה היפה ואני מקווה שהיא תישנה בשנה הבאה.

שיערתי שהדפס־האבן של התמונה שלנו[1] לא ישביע לגמרי את רצונך, אם כי, כפי שאתה יודע, איני מבין גדול. בכל זאת שמחו בו רבים מידידינו כאן ובחו"ל והליתוגראף שביצע את העבודה נחשב לטוב ביותר בברלין. כבר זמן רב יש לי נקיפות מצפון על שאיני ממלא אחר בקשתך החוזרת, להכין הדפס־אבן של הדיוקן שלך, המעורר התפעלות והנאה בין ידידי כאן; אך עלי להודות שאפילו ההחלטה להתחיל בהכנות קשה עלי; אלא אם תהיה איזו עילה שתדחוף אותי לכך, או שאהיה במצב רוח חגיגי במיוחד. איני יכול להשתחרר מן ההרגשה, שעצם המחשבה על דבר כזה במרוצת חיי היום־יום היא קצת "מטופשת". בעצם הייתי רוצה לספר לך משהו שישעשע אותך, כדי להעניק למכתבי זה קצת מן התכונות ההופכות את מכתביך לחביבים כל כך. אך אני חש שוב, בעת נסיון־הנפל הזה, עד כמה חסר לי הכשרון לבשל מאירועי היום־יום נזיד פיקנטי כפי שאתה מצליח בכל אחד ממכתביך, אף שהייתי רוצה פעם לגמול לך ולהעלות תבשיל דומה על שולחנך. אמנם אחת הנסיבות הפועלת לטובתך ולרעתי היא העובדה שסביבתי זרה לך לחלוטין, בעוד סביבתך — על סופריה, "מתקניה", רבניה ואוויליה — מוכרת לי היטב כל־כך. אך אפילו היה המצב הפוך, לא הייתי מצליח לשוות לך; אני יודע רק להרהר, לא לספר; במכתבים — ההגיגים משעממים עד מהרה, הסיפורים — לעולם לא.

מסרתי לדר' קליי את דבריך; הוא שמח לשמוע שקיבלת את ששלח לך; תשובה ישירה ממך היתה משמחת אותו עוד יותר. השמועה, שהתאמתה בינתיים, על אירוסיה של בתו המאומצת ללואיס סימון הגיעה לאוזני, למרבה השחוק, לראשונה ממכתבך; כאשר התעניינתי בדבר, נודע לי שהעניין ידוע כבר זמן רב ומיד אחר־כך קראתי זאת גם בעיתון. לאחר זאת סרתי לשם כדי לברכם ובאותה הזדמנות מסרתי לקליי את מה שביקשת ממני וגם הסתכלתי שוב בתמונתך.[2] הביסוס הכלכלי של החתן כאן לא נראה לי מובטח.

אמי היקרה, אחי ואחיותי חשים בטוב ודורשים בשלומך. גיסותי המסכנות פאולינה וסופי שכלו בכאב את קרובם דר' גרסון, אחד הרופאים המצוינים של המבורג והמקובל ביותר ביניהם. ברכותי החמות לאשתך היקרה ולילדיך! היה שלום, ידידי היקר והטוב ואם ברצונך להעניק לי שעה מהנה, כתוב במהרה

לגבריאל ריסר שלך
האוהב אותך בנאמנות

1 "שובו של המתנדב".
2 "משה מעביר את המנהיגות ליהושע". (14.II).

גבריאל ריסר אל מוריץ אופנהיים
המבורג, 2 במאי 1855

תודה מקרב לב, ידידי היקר, על מכתבך הנחמד מערב פסח. הוא הגיע אמנם לידי זמן קצר לאחר יום־הולדתי, אבל גרם לי אותה מידה גדולה של עונג כאילו קיבלתיו ביום הנכון. גם על הדף המצורף, שמטרתו כנראה לעורר בי את החשק לחוג בעתיד את יום־הולדתי בחברת אשה וילדים, אני מודה לך מאוד; הוא יהיה תוספת חביבה לאוספי הקטן, אך היקר, של יצירות אמנות, שלפריטיו יש אמנם התכונה החד־צדדית מעט, אך הנחמדה, שכולם באים ממך. יפה שקיימים ימי־הולדת, המזמנים לנו פעם בשנה ביטוי מילולי למחשבה על ידידים רחוקים, שאנו נושאים אותם בלבנו כל השנה. בקרוב אברר אצל מחבר הביוגרפיה שלך את תאריך יום־הולדתך, שלבושתי שכחתיו, כדי לגמול לך על טובך.

שמחתי לשמוע שהיית בפאריס ושהיתה לך נחת מאחיינך, היינריך. מכיוון שאני מתכונן לנסוע לפאריס ביולי, לזמן קצר מאוד, מסור לי, באמצעות אחותי, איפה אוכל למצוא את אחיינך. באותה נסיעה יהיה לי העונג, אם ירצה השם, גם להתראות עמך ועם בני־ביתך, אך על פי תכניתי רק לקראת סוף הנסיעה. אני מתכוון לצאת מכאן במחצית הראשונה של יולי, לשהות זמן קצר בלונדון, להעיף מבט על התערוכה של פאריס,[1] ואחר כך להמשיך דרך ליון לז'נבה, כדי לבלות כמה שבועות בהרים הגבוהים של שווייץ ושל סאבואה. כך שבוודאי אגיע לפרנקפורט רק בסוף אוגוסט. אני מקווה שאמצא אותך שם בתקופה זו. כמה טוב היה אילו יכולנו להיפגש קודם לכן בדרכי. האם אין לך חשק לערוך באוגוסט טיול קטן לשווייץ? תוכל לקבוע את מקום־המפגש בין המונבלאן ליונגפראו, בכל נקודה שהיא, שצועד בינוני ורוכב גרוע מסוגל להגיע אליה. זה יוכל להיות גם ליד אגם ז'נבה, בברן או בבאזל, ששם נפגשנו לפני שלוש שנים, ואני אגיע שמה. חשוב בדבר והודע לי על החלטתך החיובית.

אני גם מודה לך על הדיווח ששלחת לי על אחייני ואחייניותי הקטנים והגדולים; אני מצפה בשמחה להתראות עם כולם בעוד כמה חודשים ולהתענג על התפתחותם והתקדמותם.

דרישת שלום לבבית לאשתך היקרה ולילדיך היקרים ותודה על הברכות ועל העוגה של אשתך, שבדמיוני היתה טעימה מאוד. כל מה שהייתי יכול עוד לומר לך אני שומר לאמירה בעל־פה בקרוב בשווייץ או בפרנקפורט.

אני נשאר אוהבך מקרב לב
גבריאל ריסר

[1] התערוכה העולמית ב־1855.

קטלוג

המידות נתונות בס"מ. הגובה קודם לרוחב.

(*) ליד המספר מציין שהתמונה מופיעה בתצלום בקטלוג.

I דיוקנאות

II נושאים תנכ"יים ומיתולוגיים

III חיי משפחה יהודיים ותמונות הווי אחרות

IV שונות

V חומר דוקומנטרי

I. דיוקנאות

I.1*
דיוקן עצמי, 1819 בקירוב
עפרון, עט ודיו חומה על נייר
12.5×18
מוזיאון ישראל, עזבון אלפרד נ' אופנהיים, לונדון, מס' P 541-8-58
צויר ככל הנראה לפני שאופנהיים עזב את האנאו להמשך לימודיו באקדמיה במינכן.
הוצג ב־1936, במוזיאון היהודי בברלין, בתערוכה בשם "אבותינו" (S. Hermann Simon: "Moritz Oppenheim) und Berliner Jüdische Museum," *Nachrichtenblatt des Verbandes der jüdischen Gemeinden in der D.D.R.*, March 1982, p. 4 ff.)

I.2*
דיוקן עצמי, 1822
שמן על בד
36.5×44
מוזיאון ישראל, מתנת ארתור קאופמן, לונדון, באמצעות הידידים הבריטיים של המוזיאונים לאמנות בישראל, 1983, מס' 86.83
זהו הדיוקן העצמי המוכר הראשון שנעשה בשמן. הופיע ברפרודוקציה בספר "זכרונות".

I.3*
הצייר פרידריך מילר, 1822-1823
עפרון (דף מחברת מתווים)
מוזיאון ישראל, עזבון אלפרד נ' אופנהיים, לונדון, מס' P 528-8-58
פרידריך מילר (1801-1889) היה שייך לחוג ידידיו של אופנהיים בתקופת שהותו ברומא. ב־1832 נתמנה לפרופסור באקדמיה לאמנות בקאסל ולבסוף הפך למנהל המוסד.
זוהי דוגמה אופיינית לדיוקנאות העפרון העדינים שה"נצרנים" הצטיינו בהם. היה זה מנהג מקובל בין הידידים לצייר איש את דיוקן רעהו, ונשתמר מספר רב של ציורים ממין זה. אופנהיים כתב ב"זכרונות" שלו (עמ' 50): "קיץ אחד ביליתי בהרי אלבניה, שם התארחתי אצל פון המפל מווינה ואצל פ' מילר מקאסל... מילר היה גרמני צעיר בעל שיער בלונדיני ארוך, לבוש מעיל גרמני שחור לפי האופנה הישנה, והיה נוצרי אדוק."

I.4
לואיזה
שמן על נייר, מודבק על קרטון
23.5×27.5
מתוארך פברואר 1824
מוזיאון ישראל, עזבון אלפרד נ' אופנהיים, לונדון, מס' P 339-8-58
תמונה זו והמתווה הבא מראים, שאופנהיים בחר את המודלים מסביבתו הרומאית.

I.5*
פרנצסקו בוולקווה
שמן על נייר, מודבק על קרטון
23.5×30.5
מתוארך 16.1.1825 רומא
מוזיאון ישראל, עזבון אלפרד נ' אופנהיים, לונדון, מס' P 340-8-58

6.I
דיוקן גברת צעירה
שמן על בד
23×28
חתום ומתוארך 1825
מוזיאון ישראל, מס' 506/33
אופנהיים עזב את רומא באביב 1825 ושב לפרנקפורט במסע איטי. הוא עצר בוונציה ושם התארח אצל ידיד ממינכן, שאת אשתו צייר פעמים מספר (זכרונות, עמ' 70). אין כל ראיה לכך שדווקא הדיוקן הזה הוא דיוקנה של הגברת הוונציאנית הצעירה, אך הוא והבא אחריו הם דוגמה לדיוקנאות אנשי החברה, שהיו באופנה באותה עת ואשר הנחילו לאופנהיים את הצלחותיו הראשונות.

***7.I**
דיוקן גברת צעירה (הברונית רוטשילד?)
שמן על בד
23.6×31.7
חתום בראשי תיבות ומתוארך 1825
המוזיאון ההיסטורי, פרנקפורט ע"נ מיין, מס' B 68:9
מקובל לראות בגברת הצעירה בת למשפחת רוטשילד. המראה, ששני ספינקסים תומכים בה, היא דוגמה טיפוסית של רהיטים בסגנון אמפיר — בעלי מוטיבים מצריים, רהיטים שהפכו לאופנתיים באירופה בעקבות מסעו של נפוליאון למצרים.

8.I
דיוקן גברת צעירה, 1825
עפרון
20×42
מוזיאון ישראל, עזבון אלפרד נ' אופנהיים, לונדון, מס' 58-8-679 P
רישום־הכנה ל־7.I.

***9.I**
האחים יונג ומחנכם אקרמן
שמן על בד
117×101
חתום ומתוארך 1826
מוזיאון ואלראף־ריכרדס, קלן, מס' WRM 1108
האחים יונג היו בניו של בעל אניות מרוטרדם, שהתחנכו בביתו של הפדגוג הנודע היינריך וילהלם אקרמן, בפרנקפורט. הנער במרכז הוא גיאורג יונג, אשר לימים היה לחבר האספה הלאומית של פרנקפורט ב־1848. שני האחים האחרים, גוטפריד ויוהאן, היו לקונסולים של הולנד בהיידלברג. (ר' *Querschnitt*, 1921, pp. 236/237).
הפשטות הרצינית של התמונה מזכירה את הדיוקנאות הגרמניים המוקדמים, שהנצרנים התפעלו מהם כל־כך.

***10.I**
לודביג ברנה, 1827
שמן על בד
90×121
מוזיאון ישראל, נתקבל מאת הארגון להחזרת נכסי יהודים (JRSO), מס' 506/50
לודביג ברנה (1837-1786), מי שנולד בפרנקפורט בשם ליב ברוך, היה סופר ומבקר תיאטרון והצטיין כפולמוסן חריף בעיתונאות פוליטית. ב־1818 המיר את דתו לכנסייה הפרוטסטנטית. מאז המהפכה של 1830 התגורר בפאריס. בנעוריו היה ידידו של היינה, אך אחר־כך הפך לאחד מאויביו המושבעים של המשורר.
התמונה, שצוירה אך שנה אחת לאחר "האחים יונג ומחנכם", מראה שינוי גדול בסגנון. את מקומה של רוח החומרה של התמונה המוקדמת תופסת כאן אווירה של נינוחות ורוגע. יש בכך משום סימן לנטייתו של אופנהיים לאמנות הבידרמאייר. "ציירתי את דיוקנו של ברנה. הוא שלח לי את שכרי בצירוף כמה שורות שאת סופן אני זוכר היטב: 'יש קללה בממון. עליך להודות לי שהייתי כה צנוע בקללותי'" (זכרונות, עמ' 92).

***11.I**
הרופא דר' סולומון שטיבל כ"נשיא הלשכה", 1827-1828
שמן על בד
84×104
המוזיאון ההיסטורי, פרנקפורט ע"נ מיין, מס' B 938
דר' שטיבל עמד בראש המחלקה הכירורגית של בית־החולים היהודי בפרנקפורט והיה בין המייסדים של החברה הרפואית בעיר. הוא התנצר והיה ליועץ־סתרים. "כאשר סיפר היינה, בכתביו המאוחרים ("Ludwig Börne, *eine Denkschrift*, 1840), על שהותו בפרנקפורט, הזכיר את החמין הטעים שהוגש לו בשבת בביתו של דר' שטיבל... הוא הניח בוודאי, בשמץ רשעות, שהדבר ירגיז את שטיבל, שאך זה מקרוב נטבל. כששוחחתי על כך פעם עם דר' שטיבל יכולתי להיווכח, שחיצו של היינה לא החטיא את המטרה..." (זכרונות, עמ' 92).

***12.I**
היינריך היינה
שמן על נייר, מודבק על בד
34×43
חתום ומתוארך 1831
מוזיאון קונסטהלה המבורג, עזבון יה"ו קמפה, מס' 1162
במאי 1831 שהה היינה כמה ימים בפרנקפורט ובהזדמנות זו צייר אופנהיים את דיוקנו. ככל הנראה מצאה התמונה חן בעיני היינה, שכן כעבור עשרים שנה ביקש מאופנהיים להעמידה לרשותו של ידידו, המו"ל יוליוס קמפה (זכרונות, עמ' 91). אחר כך החליף אופנהיים עם קמפה את הדיוקן בתמורה למבחר של ספרים, שהוצאו לאור בידי הופמן וקמפה (ר' 20.V).

***13.I**
ברוך אשווגה כחייל מתנדב
שמן על בד
82.5×107.5
המוזיאון ההיסטורי, פרנקפורט ע"נ מיין, מס' B 1437

***14.I**
הברון ליאונל נתן דה רוטשילד
שמן על בד
38.1×50.2
חתום ומתוארך 1835
הגלריה הלאומית לדיוקנאות, לונדון, מס' 3838
במחצית השנייה של שנות השלושים צייר אופנהיים סדרת דיוקנאות של בני משפחת רוטשילד. ליונל היה בנו של נתן רוטשילד, מייסד הענף האנגלי של הבנק הבינלאומי. הדיוקן צויר כנראה בסתו 1835, כאשר ליונל התארח בבית דודו בפרנקפורט. תוצאות הביקור היו אירוסיו של ליונל לבת־דודו שרלוטה, בתו של הפטרון של אופנהיים מנאפולי — קארל מאיר פון רוטשילד. ליונל נבחר כחבר לפרלמנט, אך בגלל סירובו להישבע על הברית החדשה לא הורשה, בתחילה, לתפוס את מושבו. רק אחרי בחירה חוזרת התקבל לבית־הנבחרים.

I.15*

גבריאל ריסר

פיתוח־פלדה על־פי ציור של מוריץ אופנהיים

19.5x23

מוזיאון ישראל, מס' 76-1-40

גבריאל ריסר (1863-1806) היה מראשי הלוחמים למען האמנסיפציה של יהודי גרמניה וידיד קרוב לאופנהיים. הוא למד משפטים, אך בגלל יהדותו, לא הוסמך לעריכת־דין. בשנים 1840-1836 התגורר ריסר בפרנקפורט, עד שב־1840 ניתנה לו הרשות לפתוח משרד נוטריוני בעיר־הולדתו, המבורג. ב־1848 נבחר לאספה המכוננת של פרנקפורט והיה לסגן־נשיא האספה הלאומית. מ־1860 כיהן ריסר כשופט בית־המשפט הגבוה של המבורג. ריסר נמנה עם האגף המתון של התנועה הרפורמית היהודית והיה חבר ב"היכל" בהמבורג. בשנים 1840-1838 צייר אופנהיים שלוש גירסות של דיוקנו של ריסר.

I.16*

המוסיקאי פרדיננד הילר, 1840 בקירוב

שמן על בד

81x96.5

המוזיאון ההיסטורי, פרנקפורט ע"נ מיין, מס' B 1404

הילר היה ידידו של אופנהיים. הוא נולד בפרנקפורט כבנו של יצחק הילדסהיים, ששינה את שמו ליוסטוס הילר. הוא למד מוסיקה אצל יוהאן נפומוק הומל בוויימר, והיה למנצח של תזמורות לייפציג וקלן.

I.17*

דיוקן נערה

צבעי־מים על נייר

16x20

חתום בראשי תיבות ומתוארך 1840

המוזיאון היהודי, ניו־יורק, מתנת דר' הרי ג' פרידמן, מס' F 45045

I.18*

פאני הנסל־מנדלסון

שמן על בד

32.5x42

חתום בראשי תיבות ומתוארך 1842

אוסף מר דניאל פרידנברג, גריניץ', קונטיקאט

פאני הנסל, אחותו הבוגרת של פליקס מנדלסון־ברתולדי, היתה מוסיקאית מוכשרת בזכות עצמה. בעלה, הצייר וילהלם הנסל, התיידד עם אופנהיים כאשר שהו שניהם ברומא בראשית שנות העשרים.

I.19*

גודולה (גוטלה) פון רוטשילד, 1849 בקירוב

עפרון

13.5x17

מוזיאון ישראל, עזבון אלפרד נ' אופנהיים, לונדון, מס' P 542-8-58

גודולה פון רוטשילד (1849-1753) היתה אשתו של מאיר אנשל רוטשילד ואמם של חמשת האחים שייסדו את הבנק הבינלאומי של בית רוטשילד. עד סוף חייה נשאר ביתה ברחוב היהודים של פרנקפורט מרכז למשפחה כולה. אופנהיים צייר את האשה, שעמדה בשנות התשעים שלה, זמן קצר לפני מותה, ב־1849. התמונה, שהיתה לפנים במוזיאון רוטשילד בפרנקפורט, נעלמה. הרישום שלפנינו נעשה, כפי הנראה, כהכנה לתמונה.

I.20*

ברון אדולף פון רוטשילד

שמן על בד

64x81

חתום ומתוארך 1851

מוזיאון ישראל, נתקבל מאת הארגון להחזרת נכסי היהודים (JRSO), מס' M 1823-11-52

אדולף, אחד מבניו של פטרונו הראשון של אופנהיים, קארל מאיר פון רוטשילד מנאפולי, עמד בראש הסניף האיטלקי של הבנק מאז שובו של אביו לפרנקפורט ועד לסגירתו של סניף זה ב־1861. בציור הוא נראה מעוטר בעיטורי־כבוד של נאפולי.

II. נושאים תנ"כיים ומיתולוגיים

II.1*

אמור מכופף את אלתו של הרקולס, 1820

שמן על בד

59x70

המוזיאון ההיסטורי, האנאו, מס' B 1595

ציור השמן הידוע המוקדם ביותר של אופנהיים. בצדה האחורי של המסגרת כתוב: "מוריץ אופנהיים, תלמיד באקדמיה של האנאו, המציא וצייר את התמונה הזאת ב־1820. הנהלת האקדמיה קנתה אותה ממנו — היא רכוש האקדמיה של האנאו, 1820".

II.2

אמור מכופף את אלתו של הרקולס, 1820 בקירוב

עפרון

11.5x13

מוזיאון ישראל, עזבון אלפרד נ' אופנהיים, לונדון, מס' P 589-8-58

רישום־הכנה להדפס על־פי ציור־השמן (מס' II.1). אופנהיים, כמו אמנים רבים לפניו ואחריו, נהג להפיץ את ציוריו על־ידי העתקתם באמצעות אחד מן התהליכים הגרפיים. ייתכן שזה היה נסיונו הראשון בשטח זה.

II.3*

אברהם ומשפחתו, 1822 בקירוב

שמן על קרטון

15.5x18.5

מוזיאון ישראל, עזבון אלפרד נ' אופנהיים, לונדון, מס' P 336-8-58

מתווה לתמונה שאופנהיים מכר לבארון קארל מאיר פון רוטשילד ב־1823.

"בנאפולי התקבלתי בסבר־פנים יפות בביתה של משפחת רוטשילד. לעתים קרובות נשארתי ללון בווילה היפה שבקאפו די מונטה. הברון קארל מאיר פון רוטשילד קנה ממני את שלוש התמונות הראשונות שציירתי ברומא. הן תיארו את 'משפחתו של אברהם', 'עקדת יצחק' ואת 'ברכת יעקב'" (זכרונות, עמ' 44).

4.II*
משה ואהרן לפני פרעה
עפרון
31.5×24.5
מתוארך מאי 1822
מוזיאון ישראל, עזבון אלפרד נ' אופנהיים, לונדון, מס' P 583-8-58
אין בידינו שום עדות כתובה על תמונה בנושא זה, אך ידוע שבתקופת שהותו ברומא הרבה אופנהיים לצייר נושאים תנכ"יים, בהשפעת הנצרנים.

◁
5.II*
שובו של הבן האובד
הדפס־אבן מאת ל' אלמאן על־פי תמונה אבודה מ־1823
24×19
מוזיאון ישראל, עזבון אלפרד נ' אופנהיים, לונדון, מס' P 694-8-58
"אקדמיית סנט לוקה הכריזה על תחרות בנושא 'שובו של הבן האובד'... מסרתי את התמונה באקדמיית סנט לוקה, לאחר שציירתי אותה בנאפולי" (זכרונות, עמ' 48,44).

6.II*
ישו והאשה משומרון, 1823
עפרון
15×18.3
מוזיאון ישראל, עזבון אלפרד נ' אופנהיים, לונדון, מס' P 578-8-58
"הוזמנתי לבצע מתווה־נסיון (בקשר לתחרות של אקדמיית סנט לוקה). היה עלי להגיש רישום של 'ישו והאשה משומרון'... עבודתי זכתה בפרס, אך כאשר הכריזו את שמי, הבינו שאני גרמני ויהודי. חבר השופטים רצה להעביר את הפרס לאיטלקי, אבל תורוואלדסן (הפסל הדני המפורסם), שהיה אחד השופטים, יצא להגנתי. למרות שלא הצליח להשיג עבורי את הפרס, הצליח לפחות למנוע שהוא יוענק למישהו אחר" (זכרונות, עמ' 48-49).

7.II*
שובו של טוביה הצעיר
שמן על עץ
76.5×64.1
חתום ומתוארך פירנצה 1823
מוזיאון תורוואלדסן, קופנהאגן, מס' B 135
"העיר פירנצה, מיקומה הנהדר, האנדרטאות, הכנסיות והמוזיאונים שלה, ובעיקר עושר ציוריה הנהדרים הלהיבו אותי... ציירתי שם את 'שובו של טוביה הצעיר', תמונה שכל־כך מצאה חן בעיני תורוואלדסן עד שקנה אותה ממני, ואף שילם היטב בעבורה, למרות חסכנותו, ונתן לה מקום של כבוד בין הציורים שקנה ואסף" (זכרונות, עמ' 60).
תמונה זו והבאות אחריה משקפות את מלוא ההשפעה הנצרנית על ציוריו של אופנהיים מן התקופה הרומאית, בצורותיהן התחומות בקווי־המתאר החדים ובהבעות הרוחניות.

8.II*
שרה נותנת את הגר לאברהם, 1824 בקירוב
שמן על בד
16.2×20.8
מוזיאון ישראל, עזבון אלפרד נ' אופנהיים, לונדון, מס' P 356-8-58

9.II*
גירוש הגר
שמן על בד
68.5×88
חתום ומתוארך רומא 1824
קונסטמוזיאום דיסלדורף, מס' 4274
"תורוואלדסן המליץ עלי בכל מקום שיכול. (באמצעותו) הוזמנתי תכופות לרוזן אינגנהיים, אחיהם־למחצה של מלך פרוסיה והאלקטורית של הסה. זאת האחרונה הזמינה אצלי, באמצעות הרוזן, ציור של 'גירוש הגר'. כעבור זמן ראיתי את הציור בטירת פולדה" (זכרונות, עמ' 49).
הרוזן אינגנהיים הזמין את הציור לעצמו אבל ויתר על זכותו לטובת האלקטורית. במקום זאת צייר אופנהיים בשבילו את "הגר במדבר" (ר' מכתבי הרוזן אינגנהיים למוריץ אופנהיים, מס' 14.V).
העתק של הציור. מתוארך 1826, נמצא באוסף של המכון לאמנות על־שם שטדל, פרנקפורט ע"נ מיין.

10.II*
סוזנה והזקנים
הדפס־אבן מאת פ"ס פוגל, על־פי תמונה אבודה מ־1824
39×53
מתוארך 1829
מוזיאון ישראל, עזבון אלפרד נ' אופנהיים, לונדון, מס' P 695-8-58
"ציירתי בשבילו (בשביל קארל מאיר פון רוטשילד) את 'סוזנה והזקנים'. התמונה עוררה בשעתה סנסציה ברומא. העתונים הרומאים כינו אותה 'פנינה', והברון פון רוטשילד היה מרוצה כל־כך שהעלה מיוזמתו החופשית, את שכרי המובטח — 25 לואידור" (זכרונות, עמ' 44).

11.II*
אליעזר ורבקה
עפרון על נייר, העתקה
18.5×22.5
מוזיאון ישראל, עזבון אלפרד נ' אופנהיים, לונדון, מס' P 569-8-58
רישום־הכנה להדפס. לא ידוע על שום תמונה בנושא זה.

△

*12.II

רות ובועז

דיו, מכחול ועט, הגבהה בלבן

33×25.5

חתום בראשי תיבות

מוזיאון ישראל, מתנת מר רפאל רוזנברג, לונדון,

מס' M 474-2-55

*13.II

השומרוני הטוב

מכחול, דיו ומגוון, הגבהה בלבן

25×32.5

חתום בראשי תיבות

מוזיאון ישראל, עזבון אלפרד נ' אופנהיים, לונדון, מס'

P 539-8-58

רוב תמונותיו של אופנהיים בנושאים תנכ"יים נוצרו בשנות
העשרים והשלושים. רישום זה הוא מסופה של תקופה זו,
כאשר האמן זנח את הסגנון הקווי המאופק של התקופה
הרומאית.

*14.II

משה מעביר את המנהיגות ליהושע

שמן על בד

121.5×101

חתום ומתוארך 1841

המוזיאון ההיסטורי, האנאו, מס' B 8680

התמונה הוזמנה ב-1840 כמתנה לד"ר אדוארד קליי, דרשן
ב"היכל" של המבורג ומנהל בית-הספר החופשי שם, לרגל יום-
הולדתו ה-25 של בית-הספר. ד"ר קליי היה ממנהיגי התנועה
הרפורמית בהמבורג. בעזבונו של אופנהיים מצויים כמה
מכתבים מאת ד"ר איזק וולפסון, נשיא הקהילה, העוסקים
בהזמנה זו (ר' מס' 17.V). המכתבים מעידים על החשיבות
שיוחסה לבחירת הנושא, כדי להעניק למתנה משמעות. הנושא
מרמז בדרך סמלית על דרשתו האחרונה של ד"ר קליי ומשקף
את הגישה הספרותית לאמנויות החזותיות, האופיינית לאותה
תקופה. התמונה, המזכירה בבירור סגנון ציור איטלקי
ומנייריזם נוצרי, היא דוגמה לאקלקטיות המציינת כמה
מעבודותיו של אופנהיים.

III. חיי משפחה יהודיים ותמונות הווי אחרות

1.III

Domenica dopo pranzo (יום ראשון לאחר הארוחה)

שמן על נייר

10.2×9.5

מוזיאון ישראל, עזבון אלפרד נ' אופנהיים, לונדון, מס'

P 344-8-58

*2.III

חציית מפרץ נפולי

שמן על בד

127×95

חתום ומתוארך 1842

המוזיאון ההיסטורי, האנאו, מס' 7612

אופנהיים, שצייר את הסצינה האיטלקית הזאת מתוך הזכרון,
מתרפק על מצב-הרוח הרומנטי של התקופה הרומאית. ניכרת
כאן השפעת התמונה "המעבר בשרקנשטיין", מאת לודוויג
ריכטר, שאופנהיים בודאי ראה אותה. ריכטר ואופנהיים חיו
ברומא באותה תקופה ואין ספק שהכירו זה את זה.

(Margarete Prinzessin von Isenburg: "zu drei
Gemälden von Moritz Oppenheim," *Hanauer
Geschichtsblätter*, vol. 20, 1965, pp. 317–322)

3.III

הצייר והדוגמנית שלו

שמן על עץ

19.5×24

חתום בראשי תיבות ומתוארך 1840

אוסף גב' מרתה במברגר, ירושלים

כמו בתמונות הקודמות, הזכרונות מאיטליה ממלאים כאן
תפקיד חשוב.

*4.III

מיניון והמנגן בנבל

(נושא מתוך "וילהלם מייסטר" מאת גתה)

שמן על בד

50×56

המוזיאון היהודי, ניו-יורק, מתנת מר קארל ויינפלד, מס'

JM 34-65

נושאים מתוך יצירות גתה ושקספיר מופיעים תכופות בשנות
הארבעים המאוחרות ובשנות החמישים. אופנהיים צייר גם
דיוקנאות של השניים, שמהם נעשו הדפסי-אבן, בביצוע
אלפרד רתל.

*5.III

לאוואטר ולסינג מבקרים את משה מנדלסון

שמן על בד

70×58

חתום ומתוארך 1856

מוזיאון הזכרון ע"ש יהודה ל' מגנס, ברקלי, קליפורניה, מס'

75.18

יוהאן קספאר לאוואטר, איש כמורה שווייצרי שהתפרסם
במחקריו בתחום הפיסיונומיה, קרא למשה מנדלסון להכחיש
את אמונתו ביהדות. הוא דרש ממנדלסון להזים בפומבי את
אמיתותה של האמונה הנוצרית, ואם לא יעלה בידו — להמיר
את דתו לנצרות. מנדלסון, בתמיכת ידידו גוטהולד אפרים
לסינג, מחבר "נתן החכם" (מניחים שמנדלסון שימש כדגם
ליצירה זו), נשאר איתן בדעתו. הסצינה מתארת את המפגש
ההיסטורי בין שני היריבים.

6.III*

ביקור בגלריה לאמנות עתיקה
שמן על בד
59x74
חתום ומתוארך 1865
המוזיאון ההיסטורי, האנאו, מס' B 7823
זוהי דוגמה לסגנון הווי תיאורי, האופייני לתקופת בידרמאייר. האווירה האינטימית והנינוחה, המציינת את התמונה הזאת ואת הבאה אחריה, כבר הפכה באותו זמן לשלטת ביצירות אופנהיים.

7.III*

שעת הרהורים
שמן על בד
43x56
חתום בראשי תיבות
המוזיאון ההיסטורי, האנאו, מס' B 7824

8.III

ביסמארק בכנסיית סנט פטר ברומא
שמן על בד
42.5x52.5
מוזיאון ישראל, עזבון אלפרד נ' אופנהיים, לונדון, מס' P 334-8-58

"תמונות מחיי משפחה יהודית מסורתית"

בשנות החמישים התחיל אופנהיים לעבוד על סדרה של ציורים המתארים צדדים שונים של חיי המשפחה היהודית. על רקע בית־הכנסת או הסביבה הביתית תוארו בפרוטרוט הטקסים המציינים את החיים היהודיים. הנושא העסיק את האמן עד סוף ימיו ועל תמונות רבות חזר פעמים אחדות. באמצע שנות השישים קיבל על עצמו אופנהיים, לפי בקשתו של המו"ל היינריך קלר מפרנקפורט, להעתיק את ציוריו בגריסאיי (גוונים של אפור), כדי להקל על העתקתם בדרך הצילום. ששת התצלומים הראשונים נדפסו ב־1866. מהדורה שנייה, בת שנים־עשר תצלומים, הופיעה ב־1868, וב־1874 נוספו עוד ששה. המהדורה האחרונה, בת עשרים תצלומים, הופיעה ב־1881. הוצאה מפוארת, בצורת ספר המכיל עשרים לוחות בצירוף טקסט מאת הרב ליאופולד שטיין, הופיעה זמן קצר לאחר מותו של אופנהיים, ב־1882.

9.III*

שובו של המתנדב, 1834-1833
שמן על בד
92x85
אוסף אדגר פ' רבנר, ניו־יורק ולוגאנו
כאן מטפל אופנהיים לראשונה בנושא יהודי. התמונה מדגישה את השתתפותם של היהודים במלחמת השחרור הגרמנית נגד הכיבוש הצרפתי תחת נפוליאון, בשנים 1815-1812. למרבה האירוניה, דווקא נצחונם של כוחות הברית על נפוליון וקונגרס וינה שבא בעקבותיו ב־1815, הביאו על היהודים דיכוי מחודש. ב־1835 העניקו אזרחיה היהודים של נסיכות באדן את התמונה כמתנה לד"ר גבריאל ריסר, כדי להביע את רגשי תודתם על תמיכתו הפעילה במאבקם לקבל זכויות אזרח.

10.III*

החתונה
שמן על בד
27.5x37
חתום ומתוארך 1861
מוזיאון ישראל, מס' M 1149-3-56
התמונה מדגישה את הרקע של פרנקפורט. הסצינה ממוקמת בחזית בית־הכנסת המקומי. בגרסה הזאת משמשת הטלית כחופה, על־פי מנהג פרנקפורט. הן החתן והן הכלה חגורים בחגורות הכלולות.

11.III*

גרם המדרגות בבית־הכנסת הישן של פרנקפורט
עט ודיו
14.5x18
מוזיאון ישראל, עזבון אלפרד נ' אופנהיים, לונדון, מס' P 533-8-58
מתווה־הכנה לתמונה "החתונה" (מס' 10.III).

12.III*

אם ובתה
עפרון
18x25.5
מוזיאון ישראל, מתנת מר רפאל רוזנברג, לונדון, מס' M 3548-7-55
מתווה־הכנה לתמונה "החתונה" (מס' 10.III).

13.III*

הכנר
עפרון וגיר לבן
11.5x18.5
מוזיאון ישראל, מתנת מר רפאל רוזנברג, לונדון, מס' M 3549-7-55
מתווה־הכנה לתמונה "החתונה" (מס' 10.III)

14.III*

קבלת השבת
שמן על בד (גריסאיי)
35.5x45.5
חתום ומתוארך 1865
אוסף אוסקר גרוס, ניו־יורק
גירסות הגריסאיי של תמונות ההווי נשארו ברשותו של המו"ל היינריך קלר, שהזמין אותן, עד לתחילת המאה העשרים. אחר כך רכשה אותן משפחת קרמר מפרנקפורט, והחזיקה בהן עד אחרי מלחמת העולם השנייה. המשפחה היגרה בשנות השלושים ללונדון ולקחה את התמונות עמה.

15.III

נער נושא ספר
עפרון וגיר לבן
12.5x29
מוזיאון ישראל, מתנת מר רפאל רוזנברג, לונדון, מס' M 3546-7-55
מתווה־הכנה לתמונה "קבלת השבת" (מס' 14.III).

16.III*

שבת אחרי הצהריים, 1866 בקירוב

שמן על בד

57.5×50

חתום

מוזיאון סקירבול לאמנות יהודית, היברו יוניון קולג', לוס
אנג'לס

17.III

שבת אחרי הצהריים

שמן על בד (גריסאיי)

63×52.5

חתום ומתוארך 1866

מוזיאון ישראל, קרן שץ, 1942, מס' M 76-3-42

18.III*

צאת השבת

שמן על בד (גריסאיי)

35.5×64

חתום ומתוארך 1866

אוסף אוסקר גרוס, ניו-יורק

19.III*

ראשו של צעיר יהודי פולני

עפרון וגיר לבן

10×14

מוזיאון ישראל, מתנת מר רפאל רוזנברג, לונדון, מס'
M 3547-7-55

מתווה-הכנה ל"ליל שבת".

20.III*

"יאהרצייט" (יום השנה)

שמן על בד (גריסאיי)

52×67

חתום ומתוארך 1875

אוסף אוסקר גרוס, ניו-יורק

סצינה ממלחמת פרוסיה-צרפת ב-1870-71. הגרסה הראשונה
של תמונה זו צוירה ב-1871.

21.III

נערה מקשיבה

פחם וגיר לבן

12.5×25.5

מוזיאון ישראל, עזבון אלפרד נ' אופנהיים, לונדון, מס'
P 561-8-58

מתווה-הכנה לתמונה "יאהרצייט" (מס' 20.III).

22.III

חייל יהודי

עפרון

15.5×24

מוזיאון ישראל, מתנת מר רפאל רוזנברג, לונדון, מס'
M 3553-7-55

מתווה-הכנה לתמונה "יאהרצייט" (מס' 20.III).

23.III*

חייל עומד

עפרון וגיר לבן

14×36

מוזיאון ישראל, מתנת מר רפאל רוזנברג, לונדון, מס'
M 3554-7-55

מתווה-הכנה לתמונה "יאהרצייט" (מס' 20.III).

24.III

חייל פצוע

עפרון וגיר לבן

מאחור: אדם עומד ואדם כורע ברך, עפרון

17×30

מוזיאון ישראל, עזבון אלפרד נ' אופנהיים, לונדון, מס'
P 625-8-58

מתווה-הכנה לתמונה "יאהרצייט" (מס' 20.III).

25.III

אדם יושב בזרועות שלובות

עפרון וגיר לבן

16×28

מוזיאון ישראל, מתנת מר רפאל רוזנברג, לונדון, מס'
3543-7-55

מתווה-הכנה לתמונה "דרשת הבר-מצווה".

26.III

אדם יושב בכורסא

עפרון וגיר לבן

25×26.5

מוזיאון ישראל, מתנת מר רפאל רוזנברג, לונדון, מס'
3540-7-55

מתווה-הכנה לתמונה "דרשת הבר-מצווה".

27.III*

פורים

שמן על בד (גריסאיי)

57×47

חתום ומתוארך 187?

אוסף אוסקר גרוס, ניו-יורק

28.III*

ה"חדר"

שמן על בד

21×28

חתום ומתוארך 1878

אוסף אוסקר גרוס, ניו-יורק

התמונה מתבססת כנראה על זכרונות הילדות של אופנהיים,
כאשר הוא עצמו למד ב"חדר" בגטו של האנאו.

29.III

שבועות

שמן על בד

60×70

חתום ומתוארך 1880

אוסף אוסקר גרוס, ניו-יורק

30.III*
חנוכה
שמן על בד (גריסאיי)
57.2x70.4
מוזיאון ישראל, מתנת מר סלי קרמר, לונדון, לזכר אחיו הרברט שנהרג בשיירת "הדסה" להר הצופים, אפריל 1948, מס' 506/28

31.III*
דמויות, מתווים
עפרון וגיר לבן
26.5x35
מוזיאון ישראל, עזבון אלפרד נ' אופנהיים, לונדון, מס' P 663-8-58
מתווה־הכנה לתמונה "חנוכה" (מס' 30.III).

32.III
אב וילד מקפץ
עפרון וגיר לבן
27x30
חתום ומתוארך 1880
מוזיאון ישראל, מתנת מר רפאל רוזנברג, לונדון, מס' M 3351-7-55
מתווה־הכנה לתמונה "חנוכה" (מס' 30.III).

33.III
צעיר נושא ספר־תורה
עפרון וגיר לבן
19x28.5
מוזיאון ישראל, מתנת מר רפאל רוזנברג, לונדון, מס' M 3538-7-55
מתווה־הכנה לתמונה "ביקור ראשון של הילד בבית־הכנסת".

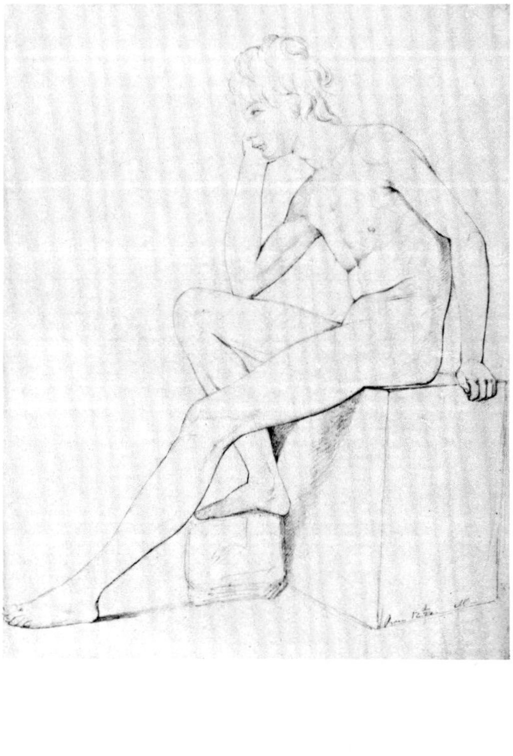

34.III
זקן כפוף
עפרון
10.5x30
מוזיאון ישראל, מתנת מר רפאל רוזנברג, לונדון, מס' M 3552-7-55
מתווה־הכנה לתמונה "הרוכל הכפרי".

35.III*
אדם אוחז בכוס יין
עפרון וגיר לבן
14x15
מוזיאון ישראל, מתנת מר רפאל רוזנברג, לונדון, מס' M 3550-7-55
מתווה־הכנה לתמונה "סוכות".

IV. שונות

1.IV
מחברת מתווים, 1822-1828
עפרון
13x20.5
מוזיאון ישראל, עזבון אלפרד נ' אופנהיים, לונדון, מס' P 528-8-58
אופנהיים השתמש במחברת זו במשך שנים מספר. היא מכילה ברובה מתווים ל"הרמן ודורותיאה" מאת יוהאן וולפגנג פון גתה (ר' מס' 11.IV).

2.IV
מחברת מתווים, 1825
עפרון
16.5x11.5
המוזיאון היהודי, ניו־יורק, מתנת מר ג'ורג' א' זליגמן, מס' JM 68-59
מתווים מן הנסיעה בחזרה מרומא לפרנקפורט. אופנהיים השתמש במחברת גם כיומן־מסע ורשם בה מדי יום.

3.IV
מחברת מתווים
עפרון
10.5x15.5
מוזיאון ישראל, מתנת גב' אדלה זליגמן, ניו־יורק, מס' M 117-1-55
מחברת משנות השלושים והארבעים, ובה מתווים מביקורים באמסטרדאם ובאיטליה. מכילה גם הרבה רשימות בכתב, ביניהן כתובות וחישובי מחירים.

4.IV*
מתווה עירום, צעיר יושב
עפרון
23.5x26.5
חתום בראשי תיבות, מתוארך רומא 12.1.22
מוזיאון ישראל, עזבון אלפרד נ' אופנהיים, לונדון, מס' P 608-8-58

▷

5.IV

נזיר

עפרון

20.5×36

מוזיאון ישראל, עזבון אלפרד נ' אופנהיים, לונדון, מס' P 664-8-58

העתקה של דמות מתוך "לווייתו של ברנרדו הקדוש" מאת פינטוריצ'יו בסנטה מריה בארקואלי, רומא.

6.IV

מנגן בנבל

עפרון

22×32.5

מוזיאון ישראל, עזבון אלפרד נ' אופנהיים, לונדון, מס' P 665-8-58

7.IV*

רה די בוסקי (מלך היערות)

עפרון

15.5×23.5

מוזיאון ישראל, עזבון אלפרד נ' אופנהיים, לונדון, מס' P 602-8-58

עיצוב תלבושת, בציון צבעים; ייתכן שהיה מיועד לאחת מן "התמונות החיות" שאופנהיים נהג לארגן בהזדמנויות חגיגיות בביתו של הברון אנסלם פון רוטשילד (זכרונות, עמ' 77).

8.IV

מתווה עירום, צעיר נושא טנא

עפרון

20×41.5

מוזיאון ישראל, עזבון אלפרד נ' אופנהיים, לונדון, מס' P 655-8-58

▷

9.IV*

רישום לקישוט־שולחן עבור משה מונטפיורי

עט ודיו

11.6×16.8

חתום ומתוארך 1841

מוזיאון ישראל, עזבון אלפרד נ' אופנהיים, לונדון, מס' P 569-8-58

הקהילה היהודית בפרנקפורט הזמינה אצל אופנהיים עיצוב לקישוט־שולחן מכסף כמתנה לסר משה מונטפיורי, אחרי שהוא ואדולף כרמייה חזרו מדמשק, ששם התערבו לטובת היהודים שהואשמו בעלילת־הדם. (ר' מכתב מאת מ' אופנהיים לגבריאל ריסר מתאריך 26 בינואר 1841, עמ' 40ע).

10.IV*

"סמטת אשנהיים הגדולה"

עפרון

24×22

המוזיאון ההיסטורי, פרנקפורט ע"נ מיין, מס' C 40 837

רחוב במרכזה של פרנקפורט. "מגדל אשנהיים" שברקע הוא ציון־דרך עתיק, ששרד גם אחרי ההרס של מלחמת העולם השנייה. זהו אחרון המגדלים מחומת העיר העתיקה.

11.IV*

איורים ל"הרמן ודורותיאה"
מאת יוהאן וולפגנג פון גתה

10 הדפסי־אבן מאת א' לוקס

לפי רישומים בקווי־מתאר מאת מוריץ אופנהיים

הודפס על ידי פ"ק פוגל, פרנקפורט ע"נ מיין, 1828

מוזיאון ישראל, עזבון אלפרד נ' אופנהיים, לונדון, מס' P 526-8-58

ב־1827 ביקר אופנהיים בויימר והוצג בפני גתה. האיורים ל"הרמן ודורותיאה" היו התוצאה של פגישה זו. שנה לפני כן שלח אופנהיים לגתה אוסף של מתווים וביקש את חוות־דעתו. גתה ענה לו באריכות ב־9 בדצמבר, 1826, ובחר לעצמו את "פרידת טוביה הצעיר" (זכרונות, עמ' 101 ואילך). הקנצלר פון מילר, שלו הקדיש אופנהיים את האיורים, כתב ב־28 באוקטובר, 1828: "גתה מבטיח לכתוב לך בעצמו בקרוב. הוא הילל מאוד את הקומפוזיציה ואני מבטיח לך, שהדבר מצא חן בעיניו בכללותו" (זכרונות, עמ' 107). המכתבים המוזכרים אבדו. תוצאה אחרת מן הביקור בויימר היתה, שהדוכס הגדול קארל אוגוסט העניק לאופנהיים, בהמלצת גתה, את התואר "פרופסור" (ראה 7.V).

12.IV

"Bilder aus dem Altjüdischen Familienleben" nach Originalgemälden von Professor Moritz Oppenheim

(תמונות מחיי משפחה יהודית מסורתית

לפי ציורים מקוריים מאת פרופסור מוריץ אופנהיים)

בצירוף הקדמה ודברי־הסבר מאת דר' ליאופולד שטיין

פרנקפורט ע"נ מיין, המו"ל היינריך קלר, מהדורה שנייה, 1886

IV.13*
מדליה שהוטבעה לכבודו של ד"ר גבריאל ריסר, 1836
בעיצובו של מוריץ אופנהיים
כסף, קוטר 6
מוזיאון ישראל
מתנת הקהילה היהודית בהמבורג, לרגל עזיבתו של ריסר את העיר. הדמות של האם המיניקה שני ילדים מסמלת את האהבה, שאינה יודעת הבדל בין שתי הדתות, היהודית והנוצרית. הדתות מיוצגות בשתי הדמויות שמשני הצדדים. הכתובת לקוחה ממלאכי ב: "הלא אב אחד לכולנו, הלוא אל אחד בראנו".

V.חומר תיעודי

V.1
מראה הגטו ברומא, 1817
תחריט
30×21
מוזיאון ישראל, מס' M 3020-11-51

V.2
פיאצה ג'יודיאה (כיכר היהודים) ברומא
תחריט מאת ג'וספה ואסי (1782-1710)
29.5×19.5
מוזיאון ישראל, מס' M 2995-11-51

V.3*
ישועים מנסים להעביר את יהודי רומא על דתם, 1823
הדפס־אבן מאת הירונימוס הס (1850-1799)
45.5×33
מוזיאון ישראל, מס' M 311-5-51
"בכל שבת אחר הצהריים אנוסים היו כמה יהודים (כ־300 גברים ונשים) להקשיב לדרשה של כומר בכנסייה, דרשה שמטרתה היתה להביא אותם להמרת־דתם. ישועי היה מכה במחבט־זבובים כל יהודי, שנדמה היה לו שנרדם. בתחילה היה מופיע המספר הנדרש של מאזינים, בעיקר מתוך סקרנות. בכל פעם שהזכיר הכומר את שמו של ישו צעקו המאזינים 'ימח שמו'. הכומר, שהבין יפה עברית, הזהיר אותם מקריאות כאלה. במשך הזמן ירד מספר המשתתפים. מכיוון שהקהילה חייבת היתה לשלם קנס על כל אדם שחסר למספר הדרוש, נכנסו רבים בדלת וקפצו החוצה דרך החלון שבקיר הנגדי, ואחר הופיעו שנית בפני הישועי שעמד בשער וספר את הנכנסים, עד שנתמלאה המכסה" (זכרונות, עמ' 66-67).

▽

4.V
רחוב היהודים בפרנקפורט ע"נ מיין
מוזיאון ישראל, מס' M 1133-11-42

5.V
מכתב המלצה, שניתן למוריץ אופנהיים מידי מנהל האקדמיה לציור בהאנאו, 27 באוגוסט, 1820

6.V
מינוי לחבר־כבוד של ה"מוזיאון"
מתאריך 1 בנובמבר, 1825
האגודה התרבותית "מוזיאון" הפכה אחר כך ל"חברת המוזיאון המוקדשת לטיפוח המוסיקה". אופנהיים היה היהודי הראשון שהוענק לו הכבוד הזה (זכרונות, עמ' 74).

***7.V**
הענקת תואר "פרופסור" למוריץ אופנהיים מידי הדוכס הגדול קארל אוגוסט מזאכסן־ויימר־אייזנאך
מתוארך ויימר, 15 במרס, 1827
בית־הספרים הלאומי והאוניברסיטאי, ירושלים

8.V
1 **מינוי לחבר־כבוד באקדמיה לציור של האנאו**
חתום בידי האלקטור פרידריך וילהלם I מהסה־קאסל, 26 בנובמבר, 1857
2 **הודעה רשמית מאת האקדמיה**
10 בדצמבר, 1857

9.V
בקשה לרשיון ישיבה (פקסימיליה)
מתאריך 12 בספטמבר, 1825
הארכיון העירוני, פרנקפורט ע"נ מיין

10.V
קטע מרשימות משרד הרישום המאשר הענקת אזרחות של העיר החופשית פרנקפורט (פקסימיליה)
לפרופסור מוריץ אופנהיים, לאשתו פאני לבית גולדשמידט ולששת ילדיו
מתאריך 27 בדצמבר, 1849
אופנהיים נשבע אמונים ב־7 במרץ, 1851
הארכיון העירוני, פרנקפורט ע"נ מיין

11.V
שני מכתבי אירוסין
1 מאת מוריץ אופנהיים לפאני גולדשמידט, מתאריך 12 בספטמבר, 1838
2 מאת פאני גולדשמידט למוריץ אופנהיים, מתאריך 14 בספטמבר, 1838

12.V
מכתב בחרוזים מאת מוריץ אופנהיים לכלתו
פאני גולדשמידט, מתאריך 11 בדצמבר, 1838

13.V
הסכם נישואין בין מוריץ אופנהיים ופאני גולדשמידט
מתאריך 7 בנובמבר, 1838
הנישואין התקיימו ב־24 במרץ, 1839. נומרוס קלאוסוס הגביל את מספר הנישואים היהודיים בפרנקפורט ל־15 בשנה, ומהם רק שניים כאשר רק אחד מבני־הזוג בלבד הוא אזרח העיר. משום כך התקיימה החתונה בבוקנהיים, הסמוכה לפרנקפורט. כתוצאה מכך איבדה פאני את אזרחותה בפרנקפורט לאחר שבקשתה להמשיך להחזיק באזרחות נדחתה.

14.V
שני מכתבים מאת הרוזן אינגנהיים, אחיהם־למחצה של מלך פרוסיה והאלקטורית מהסה, למוריץ אופנהיים
1 מכתב מתוארך רומא, ה־27 באוגוסט, 1824
עוסק בהזמנת הציור "גירוש הגר" (ר' מס' 9.II) עבור האלקטורית מהסה
2 מכתב מדרזדן, מתאריך 29 ביולי, 1826
מאשר את הסכמתו של הרוזן להציג את הציור "הגר במדבר", מאת מוריץ אופנהיים, בתערוכת האמנות השנתית בברלין.

15.V
מכתב מאת מוריץ אופנהיים לצייר וילהלם הנסל בברלין
בעלה של פאני, אחותו של פליקס מנדלסון, מתאריך 21 ביוני, 1831
אופנהיים מציג את תלמידתו, הבארונית שרלוטה פון רוטשילד וממליץ עליה. היא ביקשה להמשיך בתקופת שהותה בברלין בלימודי הציור אצל הנסל.

16.V
מכתב מאת הבארונית שרלוטה פון רוטשילד למוריץ אופנהיים
ללא תאריך
הבארונית מבקשת מאופנהיים לבחור למענה תמונה.

17.V
מכתב מאת איזק וולפסון, נשיא הקהילה היהודית בהמבורג, למוריץ אופנהיים, מתאריך 4 בספטמבר, 1840
המכתב עוסק בהזמנת הציור "משה מעביר את המנהיגות ליהושע" (ר' מס' 14.II).

18.V
שני מכתבים מאת מוריץ אופנהיים לגבריאל ריסר
(נוסח המכתבים המלא מובא בעמ' 40-41).
1 מפרנקפורט, מתאריך 24 בינואר, 1841
2 מפרנקפורט, מתאריך 10 ביוני, 1842

19.V
שבעה מכתבים מאת גבריאל ריסר למוריץ אופנהיים
(נוסח המכתבים המלא מובא בעמ' 42-49)
1 מהמבורג, מתאריך 19 בפברואר, 1842
2 מהמבורג, מתאריך 12 ביוני, 1843
3 מהמבורג, מתאריך 9 בינואר, 1844
4 מהמבורג, מתאריך 6 במרס, 1844
5 מהמבורג, מתאריך 9 במאי, 1844
6 מהמבורג, מתאריך 20 בדצמבר, 1844
7 מהמבורג, מתאריך 2 במאי, 1855

20.V

מכתב מאת אדולף שטרודטמן, המבורג, למוריץ אופנהיים

מתוארך המבורג, 15 במאי, 1862

אדולף שטרודטמן היה העורך של יצירות היינה, שהוצאו לאור
בידי הופמן וקמפה בהמבורג. המכתב מאשר את הסכמתו של
מר קמפה להחליף ספרים בהוצאת הופמן וקמפה בתמורה
לדיוקן של היינה. שטרודטמן מבקש מאופנהיים לשלוח אליו
את רשימת הספרים המבוקשים. העסקה יצאה ככל הנראה
לפועל והתמונה נשארה ברשותה של משפחת קמפה עד 1914,
שאז נתרמה למוזיאון קונסטהאלה בהמבורג.

21.V

מכתב מאת ר' הופמן, מפקח גלריה במוזיאון דארמשטדט

מתאריך 15 ביולי, 1871

מר הופמן מציע רשימה של תמונות להחלפה.

22.V

מכתב תודה מן המכון לאמנות ע"ש שטדל בפרנקפורט,

מתאריך 3 בפברואר, 1875

המכון מביע את תודתו לבניו של אופנהיים, אמיל וגידו, על
מתנתם, הציור של אביהם "הבחינה".

23.V

מכתב מאת מוריץ אופנהיים למשפחתו

באד הומבורג, 5 בספטמבר, 1880

אופנהיים שולח את ברכותיו לראש השנה, תרמ"א.

24.V

סר משה מונטפיורי (1885-1784)

פיתוח־פלדה על־פי תצלום

16×20

מוזיאון ישראל, מס' M 98-1-40

אופנהיים פגש את סר משה מונטפיורי ב־1837, בעת ביקורו
בלונדון. הוא הוצג בפניו על־ידי הרוטשילדים, שאת
דיוקנותיהם צייר באותו זמן. אחרי שמונטפיורי וכרמייה חזרו
מדמשק, התחרו הקהילות היהודיות של צרפת, אנגליה
וגרמניה ביניהן בעריכת חגיגות לכבוד המצילים ובהגשת
מתנות. אופנהיים היה מעורב באופן פעיל בחגיגות אלה.

25.V

אדולף כרמייה (1880-1796)

הדפס־אבן על־פי תצלום

21.5×27

מוזיאון ישראל, מס' M 576-5-51

עורך־דין ופוליטיקאי, שהתלווה לסר משה מונטפיורי לדמשק.
אחד המייסדים של אגודת "אליאנס איזראלית אוניברסל" (כל
ישראל חברים).

26.V

שיר מאת תיאודור קרייזנאך בשבח הנשים

חובר לסעודה חגיגית לכבודם של סר משה מונטפיורי ואדולף
כרמייה, אחרי שובם מדמשק, נובמבר 1840.
מוזיאון ישראל, עזבון אלפרד נ' אופנהיים, לונדון

קרייזנאך היה סופר ומורה. הוא לימד את בניו של פטרונו של
אופנהיים, אנסלם פון רוטשילד. התנצר ב־1854.

27.V

שיר שחובר לסעודה החגיגית לכבוד אדולף כרמייה

פרנקפורט, 8 בדצמבר, 1840
מוזיאון ישראל, עזבון אלפרד נ' אופנהיים, לונדון

28.V

משה מנדלסון (1786-1729)

פיתוח־נחושת מאת יוהאן גוטהרד מילר, על־פי ציור של י"ק
פריש. מוקדש למלך פרידריך וילהלם השני מפרוסיה, מידי
בית־הספר היהודי החופשי, ברלין, 1787.
19.5×17.5
מוזיאון ישראל, מס' 1491-6-45

29.V

**בקשה מאת האגודה האוסטרית לאמנות, וינה, להשאלת
התמונה "לאוואטר ולסינג מבקרים את משה מנדלסון"**
(מס' 5.III) לתערוכה, מתאריך 15 בספטמבר, 1861
מוזיאון ישראל, עזבון אלפרד נ' אופנהיים, לונדון

30.V

מוריץ אופנהיים, 1853

תחריט מאת יוהאן אייסנהרדט

14×18
מוזיאון ישראל, עזבון אלפרד נ' אופנהיים, לונדון

31.V

מוריץ אופנהיים

תצלום של רישום מאת שרטלה
מוזיאון ישראל, עזבון אלפרד נ' אופנהיים, לונדון

32.V*

מוריץ אופנהיים בסטודיו שלו

תצלום
מוזיאון ישראל, עזבון אלפרד נ' אופנהיים, לונדון

33.V

"מוריץ אופנהיים"

מאמר שפורסם ב "Namenlose Blätter", ברלין
9 באוקטובר, 1879
מוזיאון ישראל, עזבון אלפרד נ' אופנהיים, לונדון